Annie Berthet – Béatrice Tauzin

Affair€s à suivre

Cours de français professionnel
de niveau intermédiaire

Cahier d'exercices

http://www.fle.hachette-livre.fr

Pour découvrir nos nouveautés, consulter notre catalogue en ligne, contacter nos diffuseurs, nous écrire, rendez-vous sur Internet :
www.fle.hachette-livre.fr

Couverture : Peplum
Conception graphique et réalisation : Anne-Danielle Naname
Illustrations : Dom Jouenne
Photogravure : Tin Cuadra

Remerciement pour sa contribution : Élisabeth Bonvarlet

ISBN : 2-01-155175-7

Sommaire

module 1 Découvertes

module 2 Pratiques

module 3 Ouvertures

Accueillir un visiteur

Apprenez la langue

Ordre des doubles pronoms : pronoms indirects (*lui, leur...*) – pronoms directs (*le, la, les...*) – autres pronoms (*en* et *y*)*

1 Quel visiteur êtes-vous ?

A. Répondez à ce questionnaire.

1. J'expose les raisons de ma visite à l'hôtesse...

☐ **a.** avant qu'elle **me le** demande.

☐ **b.** seulement si elle **me le** demande.

2. Je me dirige vers le bureau du directeur...

☐ **a.** après que l'hôtesse **m'y** a invité.

☐ **b.** sans **y** avoir été invité.

3. J'accepte d'être éconduit pour une visite sans rendez-vous...

☐ **a.** si l'hôtesse **m'en** expose les raisons.

☐ **b.** sans **en** connaître les raisons.

4. Je dois me rendre à un entretien d'embauche ;

☐ **a.** je **m'y** présente avec un quart d'heure d'avance.

☐ **b.** je **m'y** présente à l'heure dite.

5. À l'hôtesse qui me propose de transmettre mes échantillons à la personne que je voulais voir, je dis :

☐ **a.** « Je refuse de **vous les** donner. »

☐ **b.** « C'est très gentil à vous de **vous en** charger. »

6. L'hôtesse me demande ma carte de visite :

☐ **a.** je **lui en** donne **une** immédiatement.

☐ **b.** je **lui** dis : « Désolé, je n'**en** ai pas sur moi. »

B. Quels pronoms utilise-t-on ? Donnez des exemples rencontrés dans le questionnaire.

1. En réponse à la question : « à qui ? » ....

2. En réponse à la question : « à quoi ? » ....

3. Pour faire référence à un lieu ? ....

4. En réponse à la question : « de quoi ? » ....

5. Pour faire référence à une quantité ? ....

6. En réponse à la question : « quoi (ou qui) ? » ....

* Note : Les pronoms *en* et *y* sont toujours en deuxième position avec des doubles pronoms.

2 Demander quelque chose à quelqu'un

Reformulez ces demandes comme dans l'exemple.

Exemple : Prête-moi ton stylo, s'il te plaît.

→ *Tu peux **me le** prêter ?/Sois gentil, prête-**le-moi**.*

1. Expliquez-moi l'itinéraire pour venir à votre société, s'il vous plaît.

....

2. Donnez-nous vos brochures, s'il vous plaît.

....

3. Note-nous ce rendez-vous sur le planning. Je te remercie.

....

4. Indiquez-moi le service après-vente, s'il vous plaît.

....

5. Rapportez-nous le badge après la visite, s'il vous plaît.

....

6. Complétez-moi cette fiche de visite, s'il vous plaît.

....

Demander de faire ou de ne pas faire : usage des doubles pronoms avec l'impératif à la forme affirmative et à la forme négative

3 Dire et ne pas dire

Complétez les énoncés comme dans l'exemple.

*Exemple : …, dites-**le-moi** plus tard.*

→ *Ne **me le** dites pas maintenant, dites-**le-moi** plus tard.*

1. ...., envoyez-les-nous plus tard.
2. ...., donnez-les-moi plus tard.
3. ...., occupez-vous-en plus tard.
4. ...., faxez-le-nous plus tard.
5. ...., présentez-la-moi plus tard.
6. ...., préoccupe-t'en plus tard.

Exercez-vous en situation

1 Des offres d'emploi

L'agence de recrutement où vous travaillez vous demande de vérifier que ces trois offres ci-dessous contiennent les renseignements nécessaires. Choisissez dans la liste et notez la lettre qui correspond à la bonne réponse.

Annonce 1

Le **sourire**, l'**efficacité**, la **disponibilité** et une **parfaite maîtrise de la langue française** font partie de vos atouts.

Les sièges sociaux de grands groupes situés à Paris recherchent des :

HÔTESSES D'ACCUEIL TRILINGUES
FRANÇAIS-ANGLAIS-ESPAGNOL OU ALLEMAND OU JAPONAIS OU CHINOIS
alliant excellente présentation et compétences bureautiques.

Prendre contact avec le service recrutement au 01 45 66 89 70

Annonce 2

Club Service

20 ans d'expérience,
3 500 collaborateurs en France,
40 succursales, recherche :

Hôtesses d'accueil
bilingues français-anglais
Formation assurée,
disponible immédiatement
Postes basés en province

Merci d'adresser CV et lettre de candidature à Club Service, 45, rue de Paris 91000 Antony
e-mail : recrutement@clubservice.fr

Annonce 3

Avec 1 500 collaborateurs, 68 restaurants et de nombreuses ouvertures prévues,

Le Bistro gourmand
recrute

Hôtes/hôtesses d'accueil
Hôtes/hôtesses de table

- Vous avez 20/25 ans, débutant(e) ou avec une première expérience.
- Vous avez le sens du contact et du service, un sourire naturel, une présentation soignée.

Présentez-vous dès aujourd'hui de 14 heures à 19 heures.

Le Bistro gourmand,
35, avenue Jean Jaurès
92100 Boulogne tél : 01 49 52 10 80

A. Les emplois proposés sont situés en dehors de la région parisienne.

B. Pour poser sa candidature, il faut se déplacer.

C. Il est nécessaire d'avoir un diplôme universitaire pour solliciter cette place.

D. Pour obtenir ce poste, il faut savoir utiliser l'ordinateur.

E. Pour se porter candidat(e), il faut envoyer une lettre accompagnée d'une photo.

F. Un grand nombre d'années d'expérience est exigé pour cet emploi.

Annonce 1 : ....

Annonce 2 : ....

Annonce 3 : ....

❷ Des conseils d'un consultant en communication

Dans chacun des paragraphes de ce texte, des parties A, B, C, D ont été soulignées. L'une de ces parties est grammaticalement incorrecte. Entourez la lettre A, B, C ou D correspondant à la partie incorrecte et corrigez la faute.

Exemple : Quand un visiteur se présente à l'accueil (A), l'hôtesse doit prendre la parole la première (B) et demandé (C) ce qu'il désire (D). → *Il faut entourer C car la formulation correcte est : « demander ».*

1. L'accueil vaut pour tous les visiteurs, (A) non seulement pour les clients mais pas pour (B) les fournisseurs, coursiers ou stagiaires. L'accueil n'est pas l'affaire (C) de la préposée à la réception, il concerne tout le personnel de l'entreprise. Il commence et finit (D) bien au-delà du sourire de l'hôtesse.

2. Il faut que le hall d'entrée est accueillant (A). Il doit être aussi fonctionnel. Vous devez (B) prévoir des fauteuils confortables (C), des revues intéressantes ainsi que (D) des boissons froides et chaudes.

3. Il faut que vous fournissiez chaque jour à l'hôtesse (A) la liste des visiteurs. Prévoyez (B) un tableau d'entrée avec le nom des personnes attendues. Mettez le nom et la fonction des collaborateurs sur les portes (C) et accueillez votre visiteur de préférence à l'entrée de son bureau (D) ou à la sortie de l'ascenseur.

4. Il est toujours bien d'envoyer un plan d'accès qui indique le meilleur itinéraire (A). Une version bilingue et une place réservée dans votre parking sera apprécié (B). Mais si votre invité vient de loin, il vaut (C) mieux aller le chercher à son arrivée (D) à la gare ou à l'aéroport.

5. Savez que (A) les impératifs de sécurité ne sont pas incompatibles (B) avec la qualité de l'accueil. Évitez (C) les formalités trop lourdes et prévenez votre visiteur si l'établissement (D) d'un badge d'accès est nécessaire pour circuler dans l'entreprise.

1.	A	B	C	D	**4.**	A	B	C	D
2.	A	B	C	D	**5.**	A	B	C	D
3.	A	B	C	D					

❸ Où sommes nous ?

Vous allez entendre cinq courts dialogues qui ont lieu dans des endroits différents. Pour chacun d'eux, indiquez le lieu où se passe la scène. Choisissez dans la liste et notez la lettre qui correspond à la bonne réponse.

Dialogue 1 : ...
Dialogue 2 : ...
Dialogue 3 : ...
Dialogue 4 : ...
Dialogue 5 : ...

A. Dans un garage
B. Chez un médecin
C. Dans un taxi
D. Dans une agence de voyages
E. Dans une gare
F. Dans un aéroport
G. Dans un café
H. Dans une entreprise

❹ Des situations d'accueil

Vous allez entendre quatre courts dialogues qui se passent dans des lieux différents. Pour chacun d'eux, répondez aux questions en cochant la bonne réponse.

1. Sur la boîte vocale d'un hôtel

Quand peut-on se présenter à la réception ?

☐ **a.** Jour et nuit sans interruption.
☐ **b.** Tous les jours de la semaine sauf le dimanche.
☐ **c.** Tous les jours de 6 h 30 à 22 h sans interruption.
☐ **d.** Le dimanche et les jours fériés de 17 h à 22 h.

2. Dans une entreprise

Que fait la secrétaire ?

☐ **a.** Elle propose un rendez-vous.
☐ **b.** Elle organise une réunion.
☐ **c.** Elle prépare un dossier.
☐ **d.** Elle fait patienter.

3. À la poste

Que fait l'employé ?

☐ **a.** Il présente une collègue.
☐ **b.** Il prend le paquet.
☐ **c.** Il oriente le client.
☐ **d.** Il affranchit les lettres.

4. Dans un supermarché

Quelle est la solution proposée pour améliorer l'accueil ?

☐ **a.** Organiser une formation.

☐ **b.** Faire une enquête auprès des clients.

☐ **c.** Réserver des caisses pour les achats de moins de dix articles.

☐ **d.** Augmenter le personnel.

Connaissez-vous l'entreprise ?

Répondez aux questions en cochant la bonne réponse.

1. Une personne se présente dans une entreprise pour un rendez-vous. Comment appelle-t-on cette personne ?

☐ **a.** Un invité/une invitée.

☐ **b.** Un participant.

☐ **c.** Un passager/une passagère.

☐ **d.** Un visiteur/une visiteuse.

2. Vous avez un rendez-vous dans une entreprise. À qui vous présentez-vous dans le hall d'entrée ?

☐ **a.** Au concierge.

☐ **b.** Au portier.

☐ **c.** À l'hôtesse d'accueil.

☐ **d.** À la serveuse.

3. Vous êtes en voiture dans une zone industrielle. Pour trouver l'entreprise où vous devez aller, que suivez-vous ?

☐ **a.** Un itinéraire fléché.

☐ **b.** Des annonces.

☐ **c.** Un guide routier.

☐ **d.** Un circuit de visite.

4. Où se trouve généralement la personne qui travaille à l'accueil ?

☐ **a.** Derrière un comptoir.

☐ **b.** Dans un rayon.

☐ **c.** Derrière un guichet.

☐ **d.** À une caisse.

5. L'entreprise dans laquelle vous vous rendez exige, par sécurité, que chaque personne qui circule dans les services soit identifiée. Que devez-vous porter ?

☐ **a.** Une étiquette.

☐ **b.** Une carte de visite.

☐ **c.** Une fiche de visite.

☐ **d.** Un badge nominatif.

6. L'entreprise où vous vous rendez est identifiée par son logo. Qu'est-ce que c'est ?

☐ **a.** Son adresse principale.

☐ **b.** La forme du bâtiment.

☐ **c.** Un symbole graphique.

☐ **d.** Son mode d'organisation.

Découvrez l'entreprise

Apprenez la langue

Les pronoms relatifs simples et composés – Donner des précisions sur quelqu'un ou quelque chose

1 Scenarii optimiste et pessimiste

A. Vous travaillez dans une entreprise où en général tout va bien. Complétez les phrases avec les pronoms relatifs qui conviennent.

1. La filiale .... votre société vient de racheter a déjà dégagé des bénéfices.
2. Le directeur sous les ordres .... vous travaillez et .... vous détestez a donné sa démission.
3. Le chiffre des ventes à l'export .... était prévu pour cette année est déjà dépassé.
4. La société .... vous travaillez depuis six mois vous offre une promotion vraiment intéressante.

B. Mais parfois tout va mal ! Complétez les phrases avec les pronoms relatifs qui conviennent.

1. Le consultant .... vous travaillez n'est pas compétent pour développer ce projet.
2. Le commercial .... vous avez confié une importante mission et .... vous aviez entièrement confiance est parti avec la caisse.
3. Le service de maintenance .... vous vous êtes adressé pour l'entretien des ordinateurs a arrêté son activité.
4. Le service .... vous dépendez risque d'être supprimé avant la fin de l'année.

2 Les collègues du bureau

Formulez les phrases comme dans l'exemple.

Exemple : Mme Martinez – directrice des ressources humaines – elle sait prendre des initiatives – ses conseils sont précieux – on peut lui faire confiance.
→ Mme Martinez est directrice des ressources humaines, c'est une femme qui sait prendre des initiatives, dont les conseils sont précieux et à qui on peut faire confiance.

1. M. Max – directeur commercial – il est très autoritaire – ses colères sont mémorables – il est très compétent – on le respecte beaucoup.

   ....

2. Mme Montagné – informaticienne – elle est très sympathique – tout le monde s'entend bien avec elle – on peut toujours compter sur elle.

   ....

3. M. Tirion – directeur des ventes – il est très travailleur – sa voix est très puissante et son rire communicatif – sa compétence professionnelle n'est plus à démontrer.

   ....

4. Mme Carlot – P-DG – ses concurrents la craignent – ses décisions sont sans appel* – elle force l'admiration – ses employés la considèrent comme une grande dame.

   ....

* Note : sans appel : ferme et définitif.

Présenter l'entreprise

❸ *L'Auréole*

Imaginez les réponses du P-DG de l'entreprise *L'Auréole*, interviewé par une journaliste. Aidez-vous du document ci-dessous pour répondre.

Effectif :
9 500 personnes –
un tiers à temps partiel

Création : 1934

Positions

Chiffre d'affaires :
100 millions d'euros

Résultat net : 16 millions d'euros

Part de marché :
leader en France, 28 % de part de marché dans l'Union européenne, 16 % de part de marché dans le monde

Société anonyme au capital
de 59 000 euros
15, rue Raspail 92300 Levallois-Perret

1. **La journaliste :** Quel type de société êtes-vous ?

   Le P-DG : ....

2. **La journaliste :** Quelle est l'activité de votre entreprise ?

   Le P-DG : ....

3. **La journaliste :** Où se trouve le siège social ?

   Le P-DG : ....

4. **La journaliste :** Quel est l'effectif de votre entreprise ?

   Le P-DG : ....

5. **La journaliste :** Peut-on connaître le chiffre d'affaires et le résultat de votre entreprise de l'année passée ?

   Le P-DG : ....

6. **La journaliste :** Parlez-moi de votre part de marché à l'export.

   Le P-DG : ....

   ....

Exercez-vous en situation

1 Heureuses, les petites mains de *Vuitton*

Vous recherchez des renseignements sur une entreprise française et vous lisez le document ci-dessous. Indiquez si les affirmations données sont vraies ou fausses. Si les informations données sont insuffisantes pour répondre vrai ou faux, cochez la case « Non précisé ».

En 1991, *Vuitton*, le roi du bagage siglé, pose ses valises à Saint-Pourçain-sur-Sioule, ville de 5 500 habitants au cœur de l'Allier, réputée pour son vignoble. Mais *Vuitton* a l'habitude des zones excentrées. Petites structures, main-d'œuvre locale. Pour peu que le coin soit spécialisé dans le travail du cuir et les élus demandeurs, les conditions sont réunies pour réussir une implantation. À cette époque, l'Allier est en plein marasme économique*. À Saint-Pourçain, *Bally** vient de fermer une usine et laisse sur le carreau* une cinquantaine de personnes. La chance du maroquinier, c'est le manque de mobilité de la maind'œuvre locale. Aujourd'hui, derrière les grandes baies* en verre fumé qui les séparent des arbres, 560 personnes, dont 510 à la production, fabriquent porte-monnaie, portefeuilles, sacs à main et autres bagages de la marque. Saint-Pourçain est ainsi discrètement devenue la plus grosse unité de fabrication au monde de *Vuitton* et les ouvriers, les privilégiés de la région. « C'est vrai que les « *Vuitton* », comme on les surnomme ici, sont très fiers de travailler dans cette usine et, surtout, ils sont très enviés. », reconnaît-on à la mairie. Des stars, les « *Vuitton* » ? Pas sûr. Le travail est difficile car le luxe ne supporte pas l'approximation. À dire vrai, rares sont les ouvriers qui se plaignent. D'ailleurs, l'usine ne compte ni représentant du personnel ni syndicat. Le turnover* est faible et même le taux d'absentéisme n'atteint pas 3 %.

D'après un article du magazine *Le Point* – n° 1494 – Geneviève Colonna d'Istria.

* Notes :
- marasme économique : graves difficultés économiques ;
- *Bally* : fabricant de chaussures ;
- laisser sur le carreau : mettre au chômage ;
- des baies : des fenêtres ;
- turnover : rotation du personnel dans une entreprise.

1. La société *Vuitton* a implanté une nouvelle usine dans une région viticole.

☐ **a.** Vrai ☐ **b.** Faux ☐ **c.** Non précisé

2. Une partie de la main-d'œuvre locale avait déjà une expérience du travail du cuir.

☐ **a.** Vrai ☐ **b.** Faux ☐ **c.** Non précisé

3. Avant d'ouvrir l'usine, la société *Vuitton* a dû former du personnel.

☐ **a.** Vrai ☐ **b.** Faux ☐ **c.** Non précisé

4. Saint-Pourçain est la plus petite des usines de la société *Vuitton*.

☐ **a.** Vrai ☐ **b.** Faux ☐ **c.** Non précisé

5. Le personnel est mécontent des conditions de travail actuelles.

☐ **a.** Vrai ☐ **b.** Faux ☐ **c.** Non précisé

❷ Des en-têtes de lettres commerciales

Les en-têtes de lettres commerciales françaises donnent de nombreux renseignements sur les entreprises. À vous de les repérer en cochant la bonne réponse dans le tableau ci-dessous.

❶

Hachette Français Langue Étrangère
E-mail : fle@hachette-livre.fr
Site : www.fle.hachette-livre.fr

Hachette Livre SA au capital de 5 094 312 euros. RCS Paris B 602 060 147. Siège social : 43, quai de Grenelle, 75 905 Paris CEDEX 15. Tél. : 01 43 92 30 00

❷

Activa Loisirs

Fabrication de piscines

SNC au capital de 64 180 euros
Siège social : 25, rue de Tournai 59000 Lille
Tél. : 03 25 32 42 01
Télécopie : 03 25 65 89
E-mail : activ@netcourrier.com
CCP : SCE 45185 26B
RCS Lille B 254 365 231

❸

Produits Alimentaires Européens (PAE)

12, avenue de Bretagne
94 597 Rungis CEDEX
Tél. : 01 46 58 32 25
SARL au capital de 26 560 euros

RCS Créteil B 385 654 213 —
N° d'identification TVA : FR 23 385 654 213
SIREN : 385 654 213 00020 — Code APE 7901

	En-tête		
Type de renseignements	**1**	**2**	**3**
Le nom commercial ou la raison sociale			
L'adresse commerciale ou le siège social			
Le sigle ou le logo			
Le numéro de téléphone			
Le numéro de télécopie			
L'adresse électronique			
Le site Internet			
Le numéro d'immatriculation au registre du commerce et des sociétés			
Le numéro d'identification de la taxe sur la valeur ajoutée			
Le numéro de compte bancaire ou postal			
La forme juridique			
Le montant du capital social			
L'activité exercée			
Le numéro d'identification du système informatique pour le répertoire des entreprises			
Le code de l'activité principale exercée			

❸ Quelques chiffres

Lisez le document et cochez la bonne réponse.

Famille 48 %

Si près de la moitié des créateurs d'entreprise français ont mis en place leur projet seuls, un quart l'ont fait avec leur conjoint, 23 % avec une autre personne de leur famille ou de leur entourage.

Expérience 57 %

Avant de se mettre à leur compte, 57 % des créateurs d'entreprise ont déjà connu une expérience professionnelle dans la même activité.

Création 62 %

Plus de six créations et reprises sur dix se font en nom propre (personne physique), contre 38 % sous forme de personne morale (société).

SARL 87 %

87 % des créations ou des reprises en société (personne morale) sont des SARL.

D'après un article du magazine *Défis* – source APCE.

1. Ce document nous donne des informations sur :
   - ☐ **a.** la situation familiale des entrepreneurs français.
   - ☐ **b.** l'activité des entreprises françaises.
   - ☐ **c.** le nombre d'entrepreneurs en France.
   - ☐ **d.** la création d'entreprises en France.
2. Selon ce document,
   - ☐ **a.** la majorité des entrepreneurs ont des associés.
   - ☐ **b.** l'entrepreneur choisit de préférence un secteur nouveau.
   - ☐ **c.** près d'un entrepreneur sur deux est soutenu par sa famille ou ses amis.
   - ☐ **d.** seuls quelques entrepreneurs ont repris une entreprise familiale.

❹ Des nouvelles brèves

Vous allez entendre cinq courtes informations radiophoniques concernant des entreprises. Pour chacune d'elles, indiquez à quel secteur d'activité elle se rapporte. Choisissez dans la liste et notez la lettre qui correspond à la bonne réponse.

Annonce 1 : ...
Annonce 2 : ...
Annonce 3 : ...
Annonce 4 : ...
Annonce 5 : ...

A. Agroalimentaire
B. Audiovisuel
C. Bâtiment
D. Électronique
E. Loisirs
F. Publicité
G. Transports
H. Textile

5 Micro-trottoir

Vous allez entendre cinq personnes qui répondent à la question suivante : « Comment trouvez-vous votre patron ? » Indiquez si la personne interrogée a une opinion favorable, défavorable ou si elle ne se prononce pas. Cochez la bonne réponse.

	Favorable	Défavorable	Ne se prononce pas
Personne 1	☐	☐	☐
Personne 2	☐	☐	☐
Personne 3	☐	☐	☐
Personne 4	☐	☐	☐
Personne 5	☐	☐	☐

Connaissez-vous l'entreprise ?

Répondez aux questions en cochant la bonne réponse.

1. Vous voulez connaître l'adresse principale de la société pour laquelle vous allez travailler. Que demandez-vous à l'agence d'intérim qui vous embauche ?

- ☐ **a.** Le siège social.
- ☐ **b.** La raison sociale.
- ☐ **c.** Le domicile.
- ☐ **d.** Le secteur.

2. Vous voulez connaître le montant total des ventes du trimestre. Que demandez-vous à consulter ?

- ☐ **a.** Le chiffre d'affaires.
- ☐ **b.** Le bilan.
- ☐ **c.** Le budget.
- ☐ **d.** Le résultat net.

3. Vous venez d'être convoqué(e) pour passer un entretien d'embauche ? Qui vous fait passer l'interview ?

- ☐ **a.** L'attaché commercial.
- ☐ **b.** La secrétaire de direction.
- ☐ **c.** Le responsable de la communication.
- ☐ **d.** Le directeur des ressources humaines.

4. Avant de lancer un nouveau produit sur le marché, qu'allez-vous étudier ?

- ☐ **a.** La compétition.
- ☐ **b.** La concurrence.
- ☐ **c.** Le concours.
- ☐ **d.** La comptabilité.

5. Vous souhaitez ouvrir un commerce en bénéficiant du savoir-faire d'une marque connue. Quelle forme de commerce choisissez-vous ?

- ☐ **a.** Un hypermarché.
- ☐ **b.** Un grand magasin.
- ☐ **c.** Une franchise.
- ☐ **d.** Une supérette.

6. Vous souhaitez créer une entreprise avec un ami avec 8 000 euros d'apport et vous souhaitez limiter votre responsabilité. Quelle forme de société choisissez-vous ?

- ☐ **a.** Une EURL.
- ☐ **b.** Une SARL.
- ☐ **c.** Une SA.
- ☐ **d.** Une SNC.

L'environnement de l'entreprise

Apprenez la langue

Situer un lieu – Les prépositions de localisation simples : ***dans, entre, devant, derrière...*** **– Les prépositions de localisation composées :** ***à côté de, près de, en face de, au centre de, au milieu de, de l'autre côté de...***

❶ Rendez-vous à la Foire de Paris

Vous devez vous rendre dans différents halls du parc des expositions de la Porte de Versailles pour la Foire de Paris. Choisissez différents repères pour localiser ces halls.

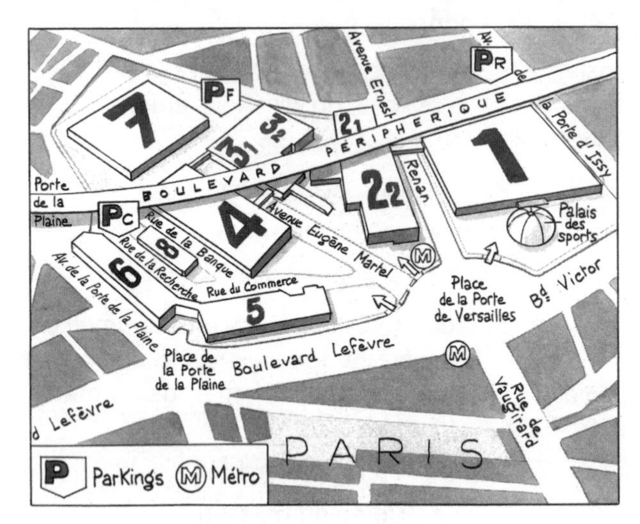

Exemple : Le hall 3.1 se trouve sous le boulevard périphérique, en face du hall 4, dans l'avenue Eugène Martel, au centre du Parc.*

1. Le hall 1 se situe ....
2. Le hall 2.2 se situe ....
3. Le hall 4 se trouve ....
4. Le hall 6 se situe ....

* Note : boulevard périphérique : boulevard entourant Paris, exclusivement destiné à la circulation automobile.

Faire des recommandations – Exprimer un besoin, une nécessité

❷ Le cadre de vie de l'entreprise

Vous êtes spécialiste de l'environnement et vous participez à un colloque sur « Le cadre de vie de l'entreprise ». À partir des éléments suivants :
– faites des recommandations d'ordre général en utilisant les expressions de la liste A ;
– faites les mêmes recommandations à une personne en particulier en utilisant les expressions de la liste B.

Exemple : Il est conseillé de vérifier régulièrement le bon fonctionnement de la climatisation. Il faut que vous vérifiez régulièrement le bon fonctionnement de la climatisation.

Liste A

Il faut + verbe à l'infinitif

Il est indispensable/nécessaire/important de + verbe à l'infinitif

Il est impératif/obligatoire de + verbe à l'infinitif

Il est conseillé/déconseillé/recommandé de + verbe à l'infinitif

Liste B

Il est nécessaire/il faut que vous... + verbe au subjonctif

Vous devez + verbe à l'infinitif

1. Mettre des plantes vertes dans les différents espaces du bâtiment.

   ....

2. Choisir des couleurs douces pour les murs des bureaux.

   ....

3. Personnaliser les bureaux avec des affiches et des objets.

   ....

4. Créer une lumière douce avec un éclairage indirect.

   ....

Demander une information/un service à quelqu'un

3 Pourriez-vous me dire...

A. Faites correspondre.

1. Mademoiselle, pourriez-vous me procurer la liste des salles libres pour vendredi ?
2. Pardon, pour aller à la gare Saint-Lazare, s'il vous plaît ?
3. Pourriez-vous me dire où se trouvent les bureaux de l'agence immobilière *Ferré*, s'il vous plaît ?
4. À quel service dois-je m'adresser pour présenter mon devis de rénovation des bureaux ?
5. Je voudrais obtenir des renseignements concernant les réservations de bureaux.
6. Pourriez-vous penser à transmettre par e-mail le dossier *Imax* aux établissements *Bério*, s'il vous plaît ?

a. C'est là-bas, juste en face du métro.

b. C'est fait, je l'ai envoyé ce matin.

c. Je vais voir si monsieur Clément, notre directeur financier, peut vous recevoir.

d. Vous descendez la rue d'Amsterdam et vous la trouverez au bout à droite.

e. Je vous la communique tout de suite, monsieur le Directeur.

f. Oui, bien sûr, mais tous nos locaux sont déjà réservés jusqu'en juillet.

B. Proposez une autre formulation à l'oral pour chaque demande comme dans l'exemple.

Exemple : Pourriez-vous me procurer la liste des salles libres ?

→ *Je voudrais obtenir la liste des salles libres, s'il vous plaît.*

Exercez-vous en situation

1 Comment choisir l'emplacement idéal pour votre magasin ?

Vous recherchez des informations sur le choix de l'emplacement d'un magasin et vous lisez le document ci-dessous. Indiquez si les affirmations données sont vraies ou fausses. Si les informations données sont insuffisantes pour répondre vrai ou faux, cochez la case « Non précisé ».

Voici la méthode employée par les enquêteurs de *La Brioche dorée* pour trouver le meilleur site en centre-ville ou en galerie commerciale.

Après quelques balades de repérage, ils confrontent* leurs premières impressions avec des informations glanées* à la CCI (Chambre de Commerce et d'Industrie) ou à la mairie. L'occasion de s'informer sur les projets d'urbanisme de la municipalité : nouvelles rues piétonnes, parkings, modification des accès, etc.

Commence alors la phase des comptages dans la rue identifiée comme la meilleure. Les enquêteurs comptent les passants, trottoir par trottoir, dans les deux sens de circulation, pendant une semaine, à différentes époques de l'année, en précisant chaque fois le temps qu'il fait. Les périodes non représentatives (Noël, fêtes, vacances scolaires) sont exclues du calendrier. Au terme de* cette phase quantitative, les enquêteurs font la moyenne de tous les comptages [...].

Les vrais secrets de fabrication se trouvent dans la phase qualitative : un coefficient de « gourmandise » [...] est appliqué par catégorie de population. S'il y a beaucoup de femmes et de bureaux à proximité, les prévisions seront ainsi relevées* ! Les informations glanées sur les passants par les enquêteurs servent à adapter l'offre aux besoins des locaux. On ne propose pas la même chose au salarié qui vient pour sa pause-déjeuner et à la gourmande qui craque* à l'heure du thé !

En centre commercial, le chiffre d'affaires est estimé en fonction du nombre de clients de l'hypermarché. Pour obtenir le nombre total de « passants », on applique un coefficient de 2,5 (chaque personne est accompagnée en moyenne par 2,5 personnes). Le meilleur emplacement en centre commercial se trouve toujours à la sortie des caisses de l'hyper*.

D'après *L'Entreprise* – n° 121 – Delphine Sauzay.

* Notes :
- confronter : comparer ;
- glaner : obtenir ;
- au terme de : à la fin de ;
- relever : augmenter ;
- craquer : ici, céder à une envie ;
- hyper : hypermarché.

1. Afin d'étudier le meilleur emplacement, les enquêteurs s'intéressent au développement futur de la ville.

☐ **a.** Vrai ☐ **b.** Faux ☐ **c.** Non précisé

2. Pour choisir la meilleure implantation, les enquêteurs comptent tous les piétons qui passent dans la rue pendant une année entière.

☐ **a.** Vrai ☐ **b.** Faux ☐ **c.** Non précisé

3. Pour connaître les consommateurs, les enquêteurs interrogent les passants sur leurs habitudes d'achat.

☐ **a.** Vrai ☐ **b.** Faux ☐ **c.** Non précisé

4. Pour calculer le montant futur des ventes, on tient compte de l'importance de la clientèle de l'hypermarché.

☐ **a.** Vrai ☐ **b.** Faux ☐ **c.** Non précisé

❷ Un projet d'implantation

Vous avez demandé une documentation sur la zone d'activité de Perpignan. Voici la réponse. Lisez la lettre et complétez-la en choisissant le mot ou le groupe de mots qui convient dans la liste.

66201 Perpignan CEDEX

Monsieur Jean Soizic
45, route de Vannes
56370 Sarzeau

Perpignan, le 19 novembre 20…

Monsieur,

.... **(1)** votre demande de documentation et nous vous remercions de votre intérêt pour l'environnement économique de Perpignan.

.... **(2)** un dossier qui vous informera sur les sites d'implantation et les aides possibles au titre de la création d'une entreprise nouvelle.

.... **(3)**, Gilbert Doualou et Laurence Geraut, se tiennent à votre disposition pour tout renseignement complémentaire.

.... **(4)** qu'ils vous recevront pour une prise de contact avec la Ville, ses élus et ses acteurs économiques.

Veuillez agréer, Monsieur, l'expression de mes sentiments distingués.

Le Maire

1. **a.** Nous avons bien reçu — **b.** Nous vous informons de — **c.** Nous avons le plaisir de — **d.** Nous vous communiquons

2. **a.** Nous recevons — **b.** Nous vous demandons — **c.** Nous vous faisons parvenir — **d.** Nous vous renseignons

3. **a.** Mes amis — **b.** Mes clients — **c.** Mes fournisseurs — **d.** Mes collaborateurs

4. **a.** Nous souhaitons — **b.** C'est avec plaisir — **c.** Ils seront heureux — **d.** Nous avons le plaisir

3 Une pépinière d'entreprises

Vous souhaitez créer une entreprise et vous recherchez un site. Lisez le document et complétez-le en choisissant le mot ou le groupe de mots qui convient dans la liste.

La pépinière d'entreprises

de Gif-sur-Yvette peut

.... **(1)**

jusqu'à **40** entreprises.

- Située .... **(2)** la ligne du RER B, reliée à l'aéroport d'Orly, elle est .... **(3)** depuis Paris par la Nationale 118, deux autoroutes passent à proximité immédiate.

- Elle offre au créateur d'entreprise :
  - un hébergement : des bureaux avec des .... **(4)** de 20 à 50 m² pour une durée maximale de 48 mois et des locaux communs comme une salle de réunion équipée, un espace détente et un hall d'accueil ;
  - des .... **(5)** : un accueil, un standard téléphonique personnalisé, un secrétariat, un réseau d'experts ;
  - un accompagnement : le suivi financier, juridique, commercial ainsi qu'une aide à l'installation.

1.
a. situer
b. habiter
c. accueillir
d. mettre

2.
a. au cœur de
b. à côté de
c. en dehors de
d. dans

3.
a. desservie
b. transportée
c. implantée
d. aménagée

4.
a. volumes
b. distances
c. longueurs
d. surfaces

5.
a. personnes
b. services
c. matériels
d. produits

❹ Le témoignage d'un entrepreneur

Vous allez entendre Benoît Daussat, directeur de la société *Acatène Emballages*, à Libourne, près de Bordeaux, qui nous parle de son entreprise. Répondez aux questions en cochant la bonne réponse.

1. Pour Benoît Daussat, de quoi s'agit-il ?
   - ☐ **a.** D'une création d'entreprise.
   - ☐ **b.** D'un rachat d'entreprise.
   - ☐ **c.** D'une donation d'entreprise.

2. Quel est l'effectif de l'entreprise en mars 1997 ?
   - ☐ **a.** Une personne.
   - ☐ **b.** Sept personnes.
   - ☐ **c.** Dix personnes.

3. Quelle était la superficie des locaux au démarrage de l'activité ?
   - ☐ **a.** 14 m^2.
   - ☐ **b.** 30 m^2.
   - ☐ **c.** 90 m^2.

4. Combien de temps Benoît Daussat a-t-il gardé son bureau dans la pépinière ?
   - ☐ **a.** Trois mois.
   - ☐ **b.** Sept mois.
   - ☐ **c.** Neuf mois.

5. Qui est le propriétaire des locaux de l'usine actuelle ?
   - ☐ **a.** Le chef d'entreprise.
   - ☐ **b.** Une agence immobilière.
   - ☐ **c.** La ville.

Connaissez-vous l'entreprise ?

Répondez aux questions en cochant la bonne réponse.

1. Vous souhaitez implanter une entreprise en France. Que recherchez-vous ?
   - ☐ **a.** Un site.
   - ☐ **b.** Un aménagement.
   - ☐ **c.** Une position.
   - ☐ **d.** Un poste.

2. Pour installer vos nouveaux bureaux, vous avez fait un calcul de prévisions de dépenses. De quoi disposez-vous ?
   - ☐ **a.** D'un trésor.
   - ☐ **b.** D'une caisse.
   - ☐ **c.** D'un budget.
   - ☐ **d.** D'une bourse.

3. Pour installer votre bureau, vous recherchez un quartier facile d'accès avec les transports en commun (bus, métro, train). Quel renseignement demandez-vous à l'agent immobilier ?
   - ☐ **a.** L'itinéraire.
   - ☐ **b.** La desserte.
   - ☐ **c.** Les chemins.
   - ☐ **d.** Les services.

4. Pour être bien installé devant son ordinateur, que recommande-t-on ?
   - ☐ **a.** Un fauteuil à accoudoirs.
   - ☐ **b.** Une chaise réglée.
   - ☐ **c.** Un siège à haut dossier.
   - ☐ **d.** Un siège réglable.

5. La disposition des meubles de votre bureau ne vous convient pas. Vous souhaitez changer la place du mobilier. Vous allez trouver votre chef de service. Que lui demandez-vous ?
   - ☐ **a.** Un emménagement.
   - ☐ **b.** Un transfert.
   - ☐ **c.** Une location.
   - ☐ **d.** Un agencement.

6. Pour travailler, vous avez besoin d'un nouvel ordinateur et d'une imprimante. Qu'allez-vous acheter ?
   - ☐ **a.** Du matériel.
   - ☐ **b.** Des matériaux.
   - ☐ **c.** Des fournitures.
   - ☐ **d.** Des provisions.

pp. 41 à 50

Rechercher un emploi

Apprenez la langue

L'accord ou le non-accord du participe passé

1 Extraits de correspondances

A. Dites quel extrait ne fait pas partie d'une lettre de motivation écrite par une candidate.

1. Veuillez trouver ci-joint les attestations que m'ont remises mes premiers employeurs.
2. Je me suis spécialisée en marketing.
3. Je suis sortie major* de Sup de Co Paris.
4. J'ai suivi un stage en entreprise avant d'obtenir mon premier poste.
5. Les deux stages que vous avez suivis dans notre entreprise nous ont donné la possibilité d'apprécier vos compétences.
6. Cette expérience m'a permis d'acquérir une plus grande maîtrise de la vente.
7. Le poste de directeur marketing m'a intéressé tout particulièrement pour son côté créatif.
8. Durant les quatres années que j'ai passées dans cette entreprise, j'ai occupé le même poste de secrétaire de direction.
9. J'ai travaillé sous les ordres de quatre chefs de service qui se sont succédé en deux ans.
10. Je suis restée à ce poste jusqu'à la fermeture du siège social.

Réponse : ....

* Note : major : meilleur(e) élève d'une promotion.

B. Justifiez l'accord (ou le non-accord) des participes passés soulignés.

Parler de ses savoir-faire professionnels et de ses centres d'intérêt

2 Quelle expérience !

Faites correspondre de façon à former des phrases.

1. Je maîtrise parfaitement
2. J'ai acquis des compétences
3. Je m'intéresse à
4. Je suis passionné(e) de
5. J'ai un bon niveau en
6. Je suis capable d'

a. l'écologie.
b. allemand.
c. organiser un séminaire.
d. l'anglais.
e. dans le domaine du tourisme.
f. voyages.

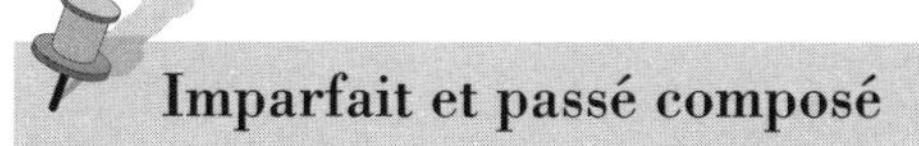

❸ Événements ou situations ?

Complétez avec un verbe à l'imparfait ou au passé composé.

1. Quand il a commencé à travailler chez *Axa*, il .... *(ne pas connaître)* le monde des assurances.
2. Quand elle a été nommée au poste de directrice, elle .... *(avoir)* 33 ans.
3. C'est au moment où il n'y croyait plus qu'il .... *(retrouver)* un emploi.
4. Au moment où il a perdu son emploi, il .... *(être)* consultant chez *Buir*.

❹ Changements professionnels

Reformulez ces témoignages de personnes qui ont vécu d'importants changements professionnels. Distinguez les situations (à l'imparfait) et les événements (au passé composé). Vous pouvez utiliser aussi des mots pour :
– marquer une idée de succession (*pour commencer, puis, ensuite, finalement*) ;
– marquer une opposition (*mais*) ;
– faire référence à des moments ou à des périodes passées *(avant, un jour)*.

Exemple : avoir le trac – être interrogé(e) dans le détail sur mes motivations – répondre avec franchise – être retenu(e) pour le poste.
→ Pour commencer, j'avais le trac, j'ai été interrogé(e) dans le détail sur mes motivations, j'ai répondu avec franchise et, finalement, j'ai été retenu(e) pour le poste.

1. Être au chômage – ne plus avoir d'argent – lire une offre d'emploi – répondre à cette offre – retrouver du travail.

   ....

   ....

2. Démissionner de mon poste d'assistante – ne plus supporter mon patron – partir sans lui dire au revoir.

   ....

   ....

3. Effectuer un stage comme hôtesse d'accueil – être remarquée par la direction – être embauchée définitivement à la fin de mon stage.

   ....

   ....

4. Ne pas avoir de responsabilités – avoir l'occasion de prendre des initiatives – être apprécié(e) – être nommé(e) à un poste de cadre.

   ....

   ....

Exercez-vous en situation

❶ Les étapes d'un recrutement

Vous recherchez un emploi et vous avez envoyé ou reçu des lettres relatives à votre candidature. Vous classez votre courrier dans des dossiers. Faites correspondre chaque extrait de lettre au dossier qui convient en notant le bon numéro.

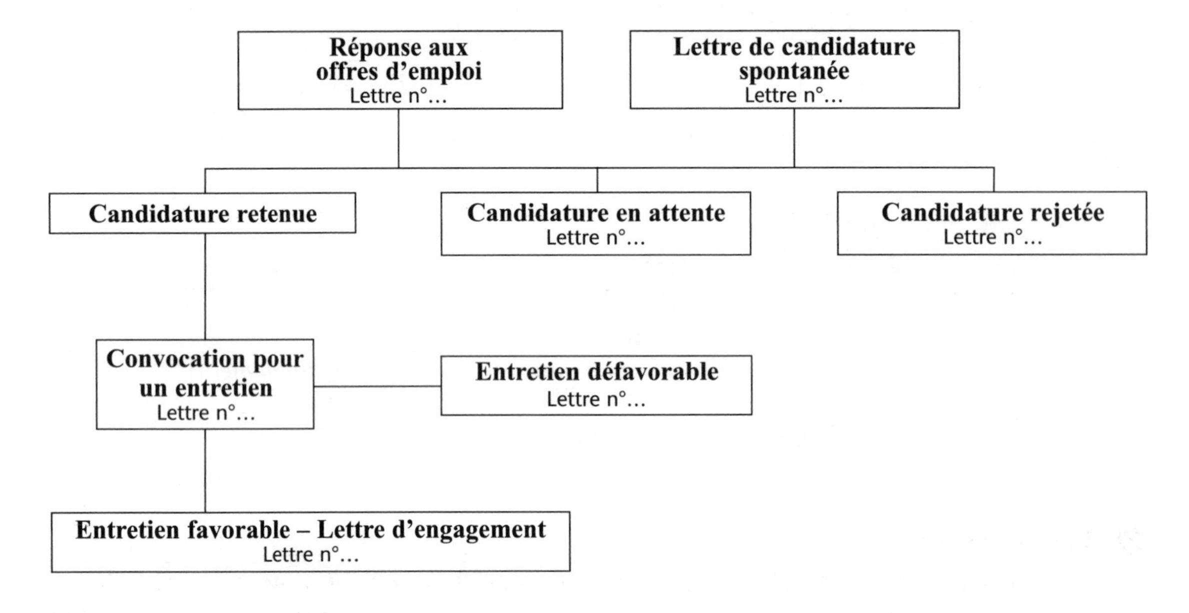

Lettre n° 1

[…] Vous recherchez sans doute un responsable commercial ou de centre de profit et je me permets de vous adresser mon dossier de candidature […]

Lettre n° 2

Comme suite à notre entretien, nous avons le regret de vous informer que nous n'avons pu retenir votre candidature […]

Lettre n° 3

[…] Nous ne disposons pas actuellement de poste disponible mais votre profil étant susceptible de nous intéresser, nous vous proposons de conserver votre candidature et vous invitons à faire partie de notre base de données en vous connectant sur notre site : 3mfrancejobs. com […]

Lettre n° 4

> [...] Afin d'approfondir l'examen de votre candidature, nous vous prions de bien vouloir vous présenter pour un entretien [...]

Lettre n° 5

> [...] Après une étude approfondie de votre candidature, nous avons le regret de vous informer que nous ne pouvons pas envisager actuellement une intégration au sein de nos équipes [...]

Lettre n° 6

> En réponse à l'offre que vous avez diffusée sur JKjob. com, je me permets de vous transmettre ci-attaché mes CV et lettre de motivation [...]

Lettre n° 7

> [...] Nous avons le plaisir de vous informer que nous vous engageons en qualité de chef de projets à compter du 1er juillet 20 [...]

❷ Des offres d'emploi

Vous êtes à la recherche d'un emploi et vous avez relevé des annonces sur des sites Internet. Les offres que vous avez sélectionnées sont parvenues incomplètes sur votre imprimante.

Annonce 1

> **Société Ceram** ....
>
> **Référence :** El 025
>
> **Type de contrat :** ....
>
> **Poste :** ....
>
> **Horaire :** ....
>
> **Description :** chargé des négociations et des relations avec les fournisseurs, vous assurez l'approvisionnement des produits en coordination avec les chefs de rayon.
>
> **Formation :** ....
>
> Bonne connaissance de la grande distribution
>
> **Ville :** Bordeaux
>
> **Salaire :** à négocier selon expérience

A. Complétez l'annonce avec les termes suivants :

Bac + 4 / 5 – CDI – SA – 35 heures.

B. Quel est le poste proposé ? Complétez l'annonce avec la bonne réponse.

1. Technico-commercial.
2. Responsable marketing.
3. Responsable des ressources humaines.
4. Chef des achats.

Annonce 2

Société Scores

Référence : MO 054
Type de contrat : CDD
Poste : ....
Description : .... de quatre personnes, ... du bilan, suivi et gestion quotidienne de la trésorerie
Formation : Expérience réussie dans une .... similaire
.... Corse
.... 42 500 euros + intéressement

A. Complétez l'annonce avec les termes suivants :
localisation – établissement – rémunération – encadrement – fonction.

B. Quel est le poste proposé ? Complétez l'annonce avec la bonne réponse.
1. Caissier (ière).
2. Comptable.
3. Responsable des ventes.
4. Chef de projets.

❸ Une start-up

Vous allez entendre Céline Berleure, 33 ans, qui vient de créer un portail sur Internet. Répondez aux questions en cochant la bonne réponse.

1. Quelle est la moyenne d'âge du personnel ?
☐ **a.** 34 ans.
☐ **b.** 39 ans.
☐ **c.** 40 ans.

2. Comment sont rémunérés les seniors ?
☐ **a.** Avec un seul salaire fixe très élevé.
☐ **b.** Avec d'importantes stock-options uniquement.
☐ **c.** Avec de bons salaires joints à des stock-options.

3. Quelle est l'expérience de Céline Berleure dans ce domaine ?
☐ **a.** Elle n'avait aucune connaissance de l'Internet.
☐ **b.** Elle avait de l'expérience en informatique.
☐ **c.** Sa seule qualification concerne la parfumerie.

4. Que dit Céline Berleure de la gestion du personnel ?
☐ **a.** Il est plus compliqué de diriger des seniors à cause de leur âge.
☐ **b.** Les jeunes collaborateurs sont les plus difficiles à diriger.
☐ **c.** Jeunes collaborateurs et plus âgés sont aussi malaisés à diriger.

5. Quelle est l'activité de l'entreprise ?
☐ **a.** La vente de parfums en ligne.
☐ **b.** Le recrutement par Internet.
☐ **c.** La maintenance informatique.

4 À la direction des ressources humaines

Vous allez entendre cinq personnes. Pour chacune d'elles, indiquez leur intention. Choisissez dans la liste et notez la lettre qui correspond à la bonne réponse.

Personne 1 : …

Personne 2 : …

Personne 3 : …

Personne 4 : …

Personne 5 : …

A. S'informer.

B. Rechercher du personnel.

C. Demander un congé.

D. Obtenir une promotion.

E. Changer de poste.

F. Fixer un rendez-vous.

G. Postuler un emploi.

H. Gérer le temps de travail.

Connaissez-vous l'entreprise ?

Répondez aux questions en cochant la bonne réponse.

1. Un employé va partir à la retraite. Il faut le remplacer. Que faut-il pourvoir ?

- ☐ **a.** Son remplaçant.
- ☐ **b.** Son salaire.
- ☐ **c.** Son emploi.
- ☐ **d.** Son poste.

2. Vous lisez dans une petite annonce l'abréviation « prét. ». Quelles précisions vous demande-t-on ?

- ☐ **a.** Vos fonctions exactes.
- ☐ **b.** Votre formation.
- ☐ **c.** Le salaire souhaité.
- ☐ **d.** Votre expérience.

3. Votre CV a retenu l'attention d'un recruteur mais on vous demande des références. Que présentez-vous ?

- ☐ **a.** Le numéro d'identification de l'annonce.
- ☐ **b.** Le code de classification de votre lettre.
- ☐ **c.** Le nom et l'adresse de votre (vos) dernier(s) employeur(s).
- ☐ **d.** Une copie de votre (vos) diplôme(s).

4. Vous travaillez au service des ressources humaines et vous recherchez un attaché commercial. Que faites-vous paraître sur le site Internet de recrutement de votre entreprise ?

- ☐ **a.** Une demande d'emploi.
- ☐ **b.** Une offre d'emploi.
- ☐ **c.** Une lettre d'engagement.
- ☐ **d.** Un avis de recherche.

5. Vous êtes engagé(e) dans une entreprise et le chef du personnel vous propose un CDI. De quoi s'agit-il ?

- ☐ **a.** D'un contrat de travail.
- ☐ **b.** D'un diplôme.
- ☐ **c.** D'un compte bancaire.
- ☐ **d.** D'une formation.

6. Vous avez trouvé un emploi et on vous propose un fixe. De quoi est-il question ?

- ☐ **a.** D'un poste stable.
- ☐ **b.** D'une rémunération.
- ☐ **c.** D'un lieu de travail.
- ☐ **d.** D'une activité.

Les relations dans le travail

Apprenez la langue

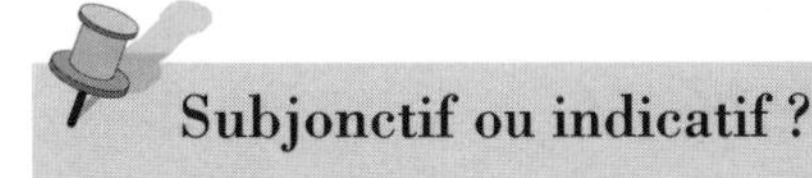

Subjonctif ou indicatif ?

1 À l'A.N.P.E.

A. Voici quelques propos entendus dans un bureau de l'A.N.P.E. (Agence nationale pour l'emploi). Dites pour chacun si la personne parle d'un candidat réel ou d'un candidat idéal, puis indiquez le mode utilisé.

1. C'est un ingénieur qui a déjà travaillé cinq ans en Afrique.
2. Je voudrais que cette personne soit sortie d'une grande école.
3. J'aimerais que cette personne sache parler anglais couramment.
4. Je pense que cette personne correspond en tout point à vos critères.
5. J'exige qu'il ou elle ait au moins cinq ans d'expérience dans ce domaine.
6. Je recherche quelqu'un qui puisse encadrer efficacement nos commerciaux.
7. Il s'agit de quelqu'un qui a déjà fait ses preuves dans une maison concurrente.
8. Je suis persuadé que cette jeune femme a toutes les compétences requises pour occuper le poste.

Candidat réel	Candidat idéal
....	....
....	....
....	....
Mode utilisé :	**Mode utilisé :** ....

B. Quelle définition correspond à la fonction du subjonctif dans la communication ? Cochez la bonne réponse.

Le subjonctif sert à : ☐ **a.** imaginer une action.
☐ **b.** envisager une action selon son point de vue subjectif.
☐ **c.** placer une action dans la réalité objective.

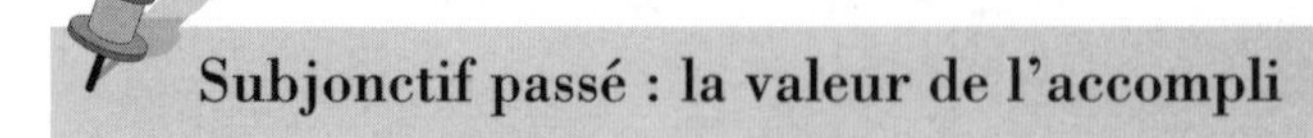

Subjonctif passé : la valeur de l'accompli

2 La vie au travail

Reformulez les phrases comme dans l'exemple.

Exemple : La direction a organisé la réunion à 19 heures, c'est scandaleux.
→ Il est scandaleux que la direction ait organisé la réunion à 19 heures.

1. Notre directeur n'a pas compris la raison de notre mécontentement, j'en ai peur.

....

2. J'ai obtenu mon augmentation de salaire. C'est formidable.

....

3. Vous avez bien pris connaissance du règlement intérieur. C'est indispensable.

....

4. Sa demande de congé annuel s'est perdue. C'est bien possible.

....

5. La direction a renoncé à la suppression des dix postes. J'en doute.

....

6. Vous n'avez pas oublié d'envoyer votre demande de congé de formation par lettre recommandée. Je le souhaite.

....

Exprimer un but : *pour, afin de* + verbe à l'infinitif/*pour que, afin que* + verbe au subjonctif

❸ À propos des différentes formes de congés

A. Faites correspondre.

Types de congés	**Offre la possibilité...**
1. Le congé maternité	**a.** À un(e) salarié(e) de se consacrer à l'éducation de son enfant.
2. Le congé annuel	**b.** À un(e) salarié(e) de prendre du repos durant l'année.
3. Le congé parental d'éducation	**c.** À un(e) salarié(e) de prendre ses distances vis-à-vis de son travail.
4. Le congé individuel de formation	**d.** À une femme de se reposer avant et après l'accouchement et de s'occuper de son enfant.
5. Le congé pour convenance personnelle	**e.** À un(e) salarié(e) d'acquérir de nouvelles compétences.

B. Reformulez les phrases comme dans l'exemple.

Exemple : Le congé maladie a été créé :
– pour permettre à un salarié de s'arrêter de travailler pour raison de santé ;
– pour qu'un salarié s'arrête de travailler pour raison de santé.

....

....

Exercez-vous en situation

1 Connaissez-vous ces expressions ?

Faites correspondre.

1. Un bulletin	**a.** de transport.
2. Un plein-	**b.** à durée déterminée.
3. Une indemnité	**c.** d'essai.
4. Un jour	**d.** partiel.
5. Un délégué	**e.** temps.
6. Un temps	**f.** férié.
7. Un contrat	**g.** variables.
8. Les horaires	**h.** du personnel.
9. Les congés	**i.** de paie.
10. Une période	**j.** payés.
11. Un comité	**k.** intérieur.
12. Un règlement	**l.** d'entreprise.

2 Extraits d'un règlement intérieur

Lisez le document et complétez-le en choisissant le mot qui convient dans la liste.

Art. 2
L'horaire est affiché sur les .... **(1)** de travail.

Art. 4
Toute absence non justifiée est une faute grave et peut entraîner le .... **(2)** sans préavis ni indemnité.

Art. 6
Il est strictement .... **(3)** au personnel de quitter son travail sans autorisation préalable de son responsable de service.

1. a. lieux	**b.** endroits	**c.** établissements	**d.** murs
2. a. démission	**b.** licenciement	**c.** congé	**d.** départ
3. a. interdit	**b.** possible	**c.** difficile	**d.** incompatible

❸ Un sondage

Prenez connaissance de ce sondage et cochez la bonne réponse.

Si demain vous envisagiez d'aller travailler dans une autre entreprise, dites pour chacun des critères quel serait pour vous le plus important, important et le moins important ?

	Le plus important	Important	Le moins important
L'ambiance au travail (comme l'entente avec ses collègues et sa hiérarchie)	55 %	95 %	5 %
Des possibilités d'évolution et de formation	44 %	88 %	12 %
Un salaire plus élevé	43 %	88 %	12 %
L'aménagement du temps de travail	38 %	82 %	17 %
Des avantages sociaux (régime d'assurance et offres proposées par le comité d'entreprise)	28 %	78 %	22 %
Des services comme la création d'une crèche au sein de l'entreprise	17 %	48 %	50 %

1. Ce sondage nous informe…

- ☐ **a.** des raisons qui peuvent pousser un employé à changer d'emploi.
- ☐ **b.** des conditions de travail faites aux salariés.
- ☐ **c.** des relations de travail dans les entreprises.
- ☐ **d.** des changements des conditions de travail.

2. Ce sondage nous apprend que…

- ☐ **a.** l'offre de nouveaux services est le deuxième critère de choix d'un nouveau travail.
- ☐ **b.** le salaire reste l'objectif prioritaire pour la recherche d'un nouvel emploi.
- ☐ **c.** les Français privilégient les relations dans le travail.
- ☐ **d.** la carrière est le critère prépondérant pour choisir un nouveau poste.

❹ Un accord d'entreprise

Vous venez d'être recruté(e) dans une entreprise en France. Vous vous informez de vos droits. Lisez les articles suivants et cochez la bonne réponse.

1. Chaque salarié a droit à 2,5 jours ouvrables par mois de travail effectif au titre des congés payés. Le salarié a droit à 30 jours ouvrables par an soit cinq semaines. Les dates de congé sont fixées par la direction.

- ☐ **a.** Le salarié est libre de choisir le moment où il souhaite prendre ses vacances.
- ☐ **b.** Si le salarié a travaillé 30 jours, il peut avoir cinq jours fériés.
- ☐ **c.** Le salarié touche un salaire pendant ses vacances.

2. À partir d'une ancienneté de huit mois ininterrompus, le salarié bénéficie, en cas de maladie, du maintien de sa rémunération contractuelle pendant une durée maximale de 90 jours par an.

☐ **a.** Tous les salariés ont la garantie de continuer à toucher leur salaire en cas de maladie.

☐ **b.** Si le salarié est malade pendant quatre mois, il n'est plus assuré de toucher la totalité de son salaire.

☐ **c.** Un salarié qui vient d'être embauché touche la totalité de son salaire en cas de maladie.

❺ Sur le départ...

Vous avez décidé de quitter l'entreprise dans laquelle vous travaillez. Lisez la lettre et complétez-la en choisissant le mot ou le groupe de mots qui convient dans la liste.

Lieu + date

Monsieur le Directeur,

Par la présente, j'ai le regret de vous faire part de ma .... **(1)** de mon poste de contrôleur de gestion pour des raisons personnelles.

La durée de .... **(2)** étant fixée à un mois, je quitterai le service le 1er mars prochain.

.... **(3)** sur votre compréhension, je vous prie de croire, Monsieur le Directeur, à mes sentiments très distingués.

Nom + signature

1. ☐ **a.** démission
☐ **b.** licenciement
☐ **c.** rupture
☐ **d.** fin

2. ☐ **a.** stage
☐ **b.** congé
☐ **c.** préavis
☐ **d.** contrat

3. ☐ **a.** En attendant
☐ **b.** En espérant
☐ **c.** En remerciant
☐ **d.** En comptant

6 Des nouvelles brèves

Vous allez entendre cinq courtes informations radiophoniques. Pour chacune d'elles, indiquez à quel sujet elle se rapporte. Choisissez dans la liste et notez la lettre qui correspond à la bonne réponse.

Annonce 1 : ...

Annonce 2 : ...

Annonce 3 : ...

Annonce 4 : ...

Annonce 5 : ...

A. Augmentation de salaire
B. Réduction des effectifs
C. Élection aux *Chambres de Commerce et d'Industrie*
D. Aménagement du temps de travail
E. Grève
F. Règlement intérieur
G. Chômage
H. Recrutement

Connaissez-vous l'entreprise ?

Répondez aux questions en cochant la bonne réponse.

1. Vous quittez votre emploi actuel car vous avez trouvé un nouveau travail mieux rémunéré. Que devez-vous faire vis-à-vis de votre ancien employeur ?
- ☐ **a.** Donner votre congé.
- ☐ **b.** Obtenir votre reconversion.
- ☐ **c.** Remettre votre démission.
- ☐ **d.** Demander votre licenciement.

2. Vous êtes fonctionnaire. Que touchez-vous chaque mois ?
- ☐ **a.** Un salaire.
- ☐ **b.** Un fixe.
- ☐ **c.** Une commission.
- ☐ **d.** Un traitement.

3. Vous venez d'être embauché(e). Votre employeur vous remet un document précisant vos droits et obligations, qui comporte une condition indiquant les infractions susceptibles d'entraîner le licenciement sans préavis ni indemnité. De quel document s'agit-il ?
- ☐ **a.** Du certificat de travail.
- ☐ **b.** Du contrat de travail.
- ☐ **c.** Du règlement intérieur.
- ☐ **d.** Du bulletin de paie.

4. Votre agence bancaire est ouverte le samedi. Comment appelle-t-on ce jour ?
- ☐ **a.** Un jour ouvré.
- ☐ **b.** Un jour férié.
- ☐ **c.** Un jour travaillé.
- ☐ **d.** Un jour chômé.

5. Votre lettre d'engagement précise que, pendant les trois premiers mois, chacune des parties pourra mettre fin au contrat à tout moment. Comment appelle-t-on ce délai ?
- ☐ **a.** Une période d'essai.
- ☐ **b.** Un horaire variable.
- ☐ **c.** Un préavis.
- ☐ **d.** Un stage.

6. Les horaires variables ont été mis en place dans votre entreprise. Que vous permet cet aménagement du temps de travail ?
- ☐ **a.** De travailler à mi-temps.
- ☐ **b.** D'avoir des heures d'arrivée et de départ flexibles.
- ☐ **c.** De travailler à temps partiel.
- ☐ **d.** De choisir vos dates de congé.

Prendre contact par téléphone

Apprenez la langue

Expressions temporelles : *il y a, dans, depuis, cela fait… que, pour, pendant*

1 Au standard

Une nouvelle standardiste vient d'être embauchée. Elle répond aux questions de ses collègues. Complétez ses réponses avec l'expression temporelle qui convient. Puis imaginez une question correspondant à chaque réponse.

1. ....?

Je suis ici .... deux jours seulement.

2. ....?

J'ai répondu à l'annonce sur Internet .... un mois.

3. ....?

Je suis engagée à l'essai .... trois mois.

4. ....?

Non, ce n'est pas mon premier poste, j'ai déjà travaillé dans une entreprise d'import-export .... plus de deux ans.

5. ....?

Je vais signer officiellement mon contrat .... trois jours.

6. ....?

.... une demi-heure .... je suis là ce matin et je n'ai eu aucun appel.

7. ....?

Si tout va bien, je crois que j'aurai mes premières vacances .... six mois.

8. ....?

Je parle bien anglais parce que j'ai travaillé aux États-Unis .... deux ans.

9. ....?

Je suis revenue en France .... un mois.

10. ....?

J'espère rester en France .... quelques années.

Expressions temporelles : *dès, dans, depuis*

❷ Messages texto* entre collègues

Complétez chaque message avec l'expression temporelle qui convient.

1. J'attends M. Raoul des établissements *Mercadier*. Prévenez-moi .... son arrivée. Jacqueline Pardieu.
2. Appelle-moi .... la fin de la réunion, c'est important. Ahmed.
3. Ma ligne est en dérangement .... ce matin, appelle-moi sur mon portable. Claude.
4. J'arrive .... deux heures, je suis en visite sur le site. Marc.
5. J'essaie de te joindre .... trois jours mais tu n'es jamais là ! Laura.
6. Didier, il y a un petit contretemps, mon télécopieur est en réparation mais, pas de problème, tu pourras m'envoyer les documents .... lundi matin. Ingrid.
7. Claire se marie .... un mois. Tu as une idée de cadeau ? Lucie.
8. Ça y est ! J'ai mon augmentation, ... le temps que je l'attendais ! Frédéric.

---

* Note : texto : message écrit envoyé ou reçu sur les téléphones portables.

Le gérondif

❸ Personne n'est parfait

Faites correspondre.

1. Elle s'est trompée	a. en mâchant du chewing-gum.
2. Elle ne s'est pas présentée	b. tout en bavardant avec ses collègues.
3. Elle a parlé	c. en composant le numéro.
4. Elle s'est énervée	d. en répondant au client.
5. Elle a pris les appels	e. en décrochant le combiné.

❹ Différentes techniques

Comment trouver un poste de standardiste ? Il y a beaucoup de réponses possibles.
Imaginez des réponses en utilisant le gérondif.

Exemple : En suivant un stage.

....

....

....

....

....

Exercez-vous en situation

1 Une communication téléphonique

Voici le schéma d'une communication téléphonique. Faites correspondre chaque énoncé à l'étape de la conversation qui convient en notant le bon numéro.

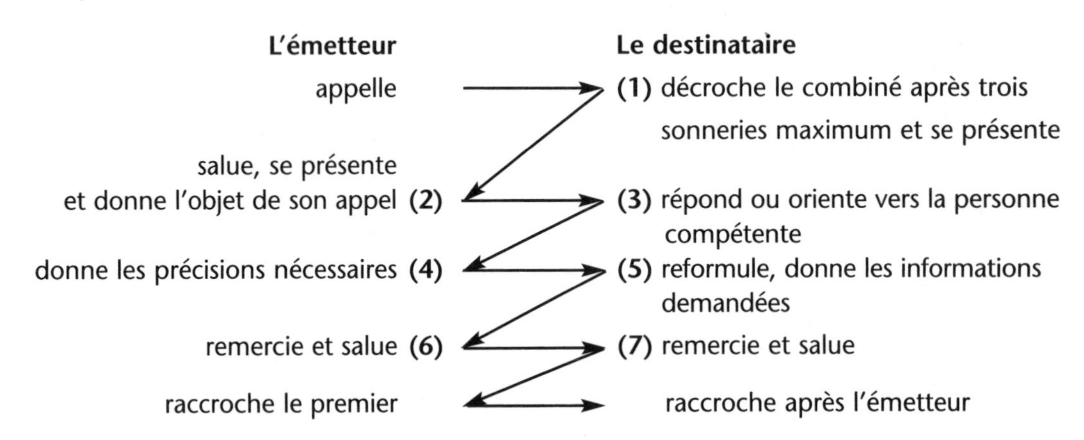

A. « Bonjour Madame, je suis la secrétaire de M. Stephany de la société *Century*. J'aimerais avoir des renseignements sur la location d'une voiture. »

B. « Bien. Je vous remercie. Au revoir, Madame. »

C. « J'aurais besoin de connaître vos tarifs pour la location d'une voiture de catégorie supérieure pour trois jours avec un départ et un retour à l'aéroport de Nice, de lundi matin à mercredi soir prochains. »

D. « Veuillez ne pas quitter, s'il vous plaît, je vous passe le service commercial. »

E. « Société *Europlus*, bonjour. »

F. « Je peux vous proposer une *Peugeot 607* en forfait affaires au prix de 150 euros par jour, disponible à l'aéroport de Nice. »

G. « Je vous en prie. Au revoir, Monsieur. »

A : .... **B :** .... **C :** .... **D :** .... **E :** .... **F :** .... **G :** ....

2 Des messages téléphoniques

Ce matin, en arrivant au bureau, M. Laporte trouve les messages téléphoniques ci-contre. Que doit-il faire ? Répondez en cochant la bonne réponse.

1. Que doit faire M. Laporte ?

- ☐ **a.** Téléphoner à la société *Imprime services.*
- ☐ **b.** Imprimer le catalogue.
- ☐ **c.** Expédier les valises.
- ☐ **d.** Fabriquer les accessoires de voyage.

2. Que doit faire M. Laporte ?

- ☐ **a.** Envoyer les échantillons à Mme Josse.
- ☐ **b.** Rendre visite à Mme Josse le lundi 6.
- ☐ **c.** Donner une réponse.
- ☐ **d.** Présenter ses excuses.

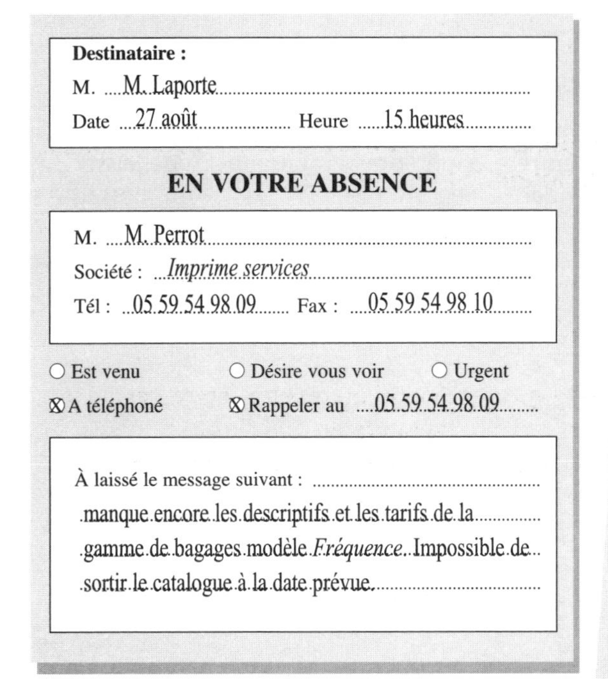
Destinataire :
M. M. Laporte
Date 27 août Heure 15 heures

EN VOTRE ABSENCE

M. M. Perrot
Société : *Imprime services*
Tél : 05 59 54 98 09 Fax : 05 59 54 98 10

○ Est venu ○ Désire vous voir ○ Urgent
☒ A téléphoné ☒ Rappeler au 05 59 54 98 09

À laissé le message suivant :
manque encore les descriptifs et les tarifs de la gamme de bagages modèle *Fréquence*. Impossible de sortir le catalogue à la date prévue.

❶

❷

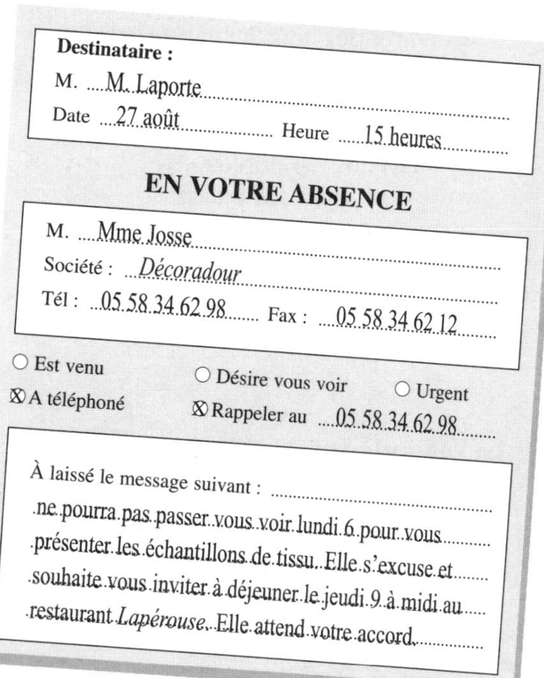
Destinataire :
M. M. Laporte
Date 27 août Heure 15 heures

EN VOTRE ABSENCE

M. Mme Josse
Société : *Décoradour*
Tél : 05 58 34 62 98 Fax : 05 58 34 62 12

○ Est venu ○ Désire vous voir ○ Urgent
☒ A téléphoné ☒ Rappeler au 05 58 34 62 98

À laissé le message suivant :
ne pourra pas passer vous voir lundi 6 pour vous présenter les échantillons de tissu. Elle s'excuse et souhaite vous inviter à déjeuner le jeudi 9 à midi au restaurant *Lapérouse*. Elle attend votre accord.

❸ Quel message ?

Vous travaillez comme standardiste dans une entreprise française et vous devez prendre en notes des appels téléphoniques. Faites correspondre.

Objet de l'appel	**Message**
1. Une demande de rendez-vous	**a.** Achat de dix chemises réf 873 coloris bleu taille 42.
2. Une demande de documentation	**b.** Livraison du 13 octobre incomplète. Expédier d'urgence cinq chaises manquantes : modèle *Bali réf A98.*
3. Une réclamation	**c.** Envoyer catalogue automne-hiver avec prix courants.
4. Une commande	**d.** Ne peut se rendre au rendez-vous du lundi 9 janvier 15 heures pour cause de voyage d'affaires. Demande de fixer une autre date après le 15 janvier.
5. Un report de rendez-vous	**e.** Souhaite vous rencontrer le lundi 12 février à 10 heures. Merci de confirmer.

4 Comment dire ?

Classez les énoncés suivants en cochant la bonne colonne.

	Identifier	Filtrer un correspondant	Mettre un appel en attente	Transmettre un appel	Proposer de laisser un message
1. Je suis désolé, M. Véron est en rendez-vous à l'extérieur.	☐	☐	☐	☐	☐
2. Je vous mets en communication avec le service des ventes.	☐	☐	☐	☐	☐
3. Pouvez-vous me donner votre nom, s'il vous plaît ?	☐	☐	☐	☐	☐
4. Puis-je lui transmettre un message ?	☐	☐	☐	☐	☐
5. Voulez-vous patienter, s'il vous plaît ?	☐	☐	☐	☐	☐

5 Le répondeur téléphonique

Vous allez entendre cinq messages laissés sur des répondeurs téléphoniques. Pour chacun d'eux, indiquez le but. Choisissez dans la liste et notez la lettre qui correspond à la bonne réponse.

Message 1 : ...

Message 2 : ...

Message 3 : ...

Message 4 : ...

Message 5 : ...

A. Demander de rappeler plus tard.
B. Prendre un rendez-vous.
C. Demander une information.
D. Faire patienter.
E. Informer d'une erreur de numéro.
F. Demander de composer un autre numéro.
G. Promettre de rappeler.
H. Confirmer une visite.

6 Au téléphone

Vous allez entendre cinq brèves communications téléphoniques. Pour chacune d'elles, répondez aux questions en cochant la bonne réponse.

1. Un rendez-vous

Quel jour est fixé le rendez-vous ?

☐ **a.** Le mardi 7 à 13 heures.
☐ **b.** Le jeudi 16 à 13 heures.
☐ **c.** Le lundi 13 à 14 heures.
☐ **d.** Le lundi 13 à 16 heures.

2. Le bon numéro

Quel numéro de téléphone faut-il rappeler ?

☐ **a.** 05 56 63 87 90.
☐ **b.** 07 58 73 87 80.
☐ **c.** 05 58 63 87 90.
☐ **d.** 05 48 73 87 80.

3. **C'est à quel sujet ?**

   Quel est l'objet de l'appel ?

   ☐ **a.** Adresser une réclamation.
   ☐ **b.** Demander un renseignement.
   ☐ **c.** Commander des produits.
   ☐ **d.** Expliquer un retard.

4. **À qui souhaitez-vous parler ?**

   Dans quel service travaille le destinataire de l'appel ?

   ☐ **a.** Les ressources humaines.
   ☐ **b.** La comptabilité.
   ☐ **c.** Les ventes.
   ☐ **d.** Les achats.

5. **Quelle suite donner ?**

   Que doit faire le destinataire de l'appel ?

   ☐ **a.** Envoyer un document.
   ☐ **b.** Rédiger un message téléphonique.
   ☐ **c.** Répondre par courrier électronique.
   ☐ **d.** Rappeler le correspondant.

Connaissez-vous l'entreprise ?

Répondez aux questions en cochant la bonne réponse.

1. L'entreprise où vous travaillez possède un service qui reçoit des appels et les transfère vers les destinataires concernés. Qui travaille dans ce service ?

☐ **a.** Un réceptionnaire.
☐ **b.** Un expéditeur.
☐ **c.** Un standardiste.
☐ **d.** Un distributeur.

2. Vous devez fixer un rendez-vous à un visiteur ? Que consultez-vous ?

☐ **a.** Votre calendrier.
☐ **b.** Votre journal.
☐ **c.** Votre répertoire.
☐ **d.** Votre agenda.

3. M. Pilat, votre patron, est à son bureau mais il ne désire pas parler au correspondant. Que devez-vous dire ?

☐ **a.** Monsieur Pilat n'est là pour personne.
☐ **b.** Monsieur Pilat est en rendez-vous à l'extérieur.
☐ **c.** Monsieur Pilat ne veut pas prendre votre appel.
☐ **d.** Monsieur Pilat ne souhaite pas vous parler.

4. Vous enregistrez un message sur votre boîte vocale. Afin de pouvoir rappeler votre correspondant, que lui demandez-vous de vous communiquer ?

☐ **a.** Ses références.
☐ **b.** Ses données.
☐ **c.** Ses mentions.
☐ **d.** Ses coordonnées.

5. Vous appelez un numéro vert. De quoi s'agit-il ?

☐ **a.** Du numéro de téléphone des écologistes.
☐ **b.** D'un numéro d'appel gratuit.
☐ **c.** D'un numéro taxé.
☐ **d.** D'un numéro confidentiel.

6. La compagnie aérienne où vous travaillez utilise un centre d'appel pour effectuer ses réservations. Qu'est-ce que c'est ?

☐ **a.** Un appareil téléphonique.
☐ **b.** L'ensemble des messages téléphoniques de la journée.
☐ **c.** Un service interne à l'entreprise.
☐ **d.** Une société de services qui se charge des appels.

pp. 73 à 82

Organiser son emploi du temps

Apprenez la langue

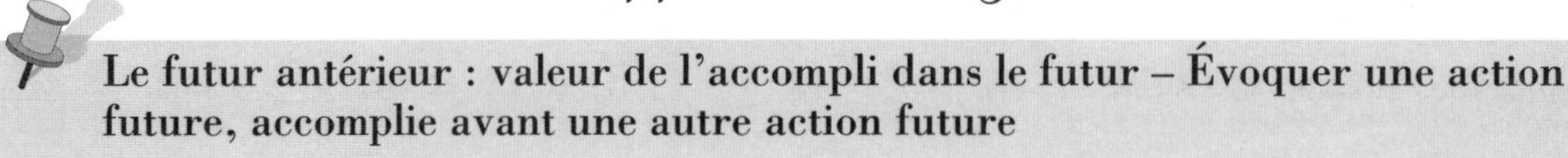

Le futur antérieur : valeur de l'accompli dans le futur – Évoquer une action future, accomplie avant une autre action future

1 La journée d'un directeur commercial

Les actions se succèdent... Lisez le planning d'un directeur commercial. Continuez le commentaire des activités de sa journée à l'aide du futur antérieur et du futur simple.

LUNDI 25

8	petit déjeuner. Hôtel	15	règlement affaires
9	circuit en ville avec clients	16	urgentes
10		17	
11	réunion avec les	18	
12	commerciaux au bureau	19	retour hôtel direct
13	déjeuner avec clients	20	
14		21	

Quand j'aurai pris mon petit déjeuner à l'hôtel, je partirai faire un circuit en ville avec mes clients. Quand j'aurai fait ce circuit, je ....

....

....

....

....

Plus-que-parfait : valeur de l'accompli dans le passé – Évoquer une action passée, antérieure à une autre action passée

2 Pas facile de communiquer

Expliquez les faits suivants par un fait qui s'est produit avant. Complétez les phrases avec un verbe au plus-que-parfait, à l'aide de la liste de verbes suivante :
oublier – partir – prévenir – annuler – noter – laisser

1. Je n'ai pas vu les commerciaux ce jour-là : ils .... notre rendez-vous au dernier moment.

2. Il m'a rappelé dès huit heures ce matin : hier, je lui .... un message sur sa boîte vocale.

3. J'ai cherché le dossier Martineau pendant plus d'une heure mais je ne l'ai pas trouvé : c'est mon directeur qui .... avec !

4. Personne n'a reçu d'invitation ; la secrétaire .... de les envoyer.

5. Nous n'avons pas assisté à cette réunion : personne ne nous ....

6. Vous avez oublié ce rendez-vous ; vous ne l' .... sur votre agenda.

Exprimer différents rapports temporels entre deux actions :
– antériorité : *avant de* + verbe à l'infinitif/*avant que* + verbe au subjonctif
– postériorité : *après* + verbe à l'infinitif passé/*après que*, *une fois que*, *dès que* + verbe à l'indicatif
– simultanéité : verbe au gérondif

3 Quel(le) secrétaire êtes-vous ?
Répondez à ce questionnaire. Puis reformulez les énoncés suivis d'une flèche comme dans l'exemple.

Exemple : Vous arrivez au bureau :

☐ **a.** *Avant votre patron. → Avant que votre patron arrive.*
☒ **b.** *Après votre patron. → Après que votre patron est arrivé.*
☐ **c.** *En même temps que votre patron.*
☐ **d.** *Cela dépend.*

1. Vous consultez votre agenda électronique :

☐ **a.** Avant votre arrivée. → ....
☐ **b.** Au moment de votre arrivée. → ....
☐ **c.** Au moment de votre départ. → ....
☐ **d.** Autre.

2. Vous déjeunez :

☐ **a.** Avant vos collègues du même service. → ....
☐ **b.** Après vos collègues du même service. → ....
☐ **c.** En même temps que vos collègues.
☐ **d.** Cela dépend.

3. Vous quittez votre poste de travail :

☐ **a.** Juste après le départ de votre patron. → ....
☐ **b.** Un moment après le départ de votre patron. → ....
☐ **c.** Avant le départ de votre patron. → ....
☐ **d.** Autre.

Exercez-vous en situation

1 Une note de service

Votre entreprise vient de passer aux 35 heures et vous recevez cette note de service. Lisez-la et cochez la bonne réponse.

Visiofax Sarl
Direction générale

Au personnel des services administratifs
Note de service

Objet : horaires variables

Par suite de la mise en place des horaires variables, il vous est demandé de bien vouloir respecter les règles suivantes :
– durée hebdomadaire du travail : 35 heures ;
– heures d'ouverture et de fermeture des bureaux : du lundi au vendredi : de 8 heures à 19 heures ;
– heures pendant lesquelles la présence est obligatoire : de 10 heures à 12 heures et de 14 heures à 16 h 30 ;
– temps de présence minimum par jour : 5 heures.

Selon cette note de service,

☐ **a.** les employés doivent impérativement arriver au bureau à 8 heures.
☐ **b.** le personnel peut prendre son après-midi en partant à 12 heures.
☐ **c.** les bureaux sont fermés à 16 h 30.
☐ **d.** il est obligatoire de déjeuner entre 12 heures et 14 heures.

2 Un sondage

Votre entreprise est aux 35 heures et vous découvrez dans un magazine un sondage qui vous intéresse. Lisez-le et cochez la bonne réponse.

L'IMPACT DES 35 HEURES SUR LA VIE PRIVÉE

Vous, personnellement, l'application des 35 heures vous permet ou vous permettrait, avant tout, de :

Consacrer plus de temps à vos enfants	52 %
Vous reposer davantage	35 %
Faire plus de sport	34 %
Faire des sorties culturelles	18 %
Voyager davantage	13 %
Vous investir dans le monde associatif	11 %
Suivre une formation complémentaire	6 %
Chercher à vous investir dans une deuxième activité professionnelle	6 %
Consommer davantage	2 %
Ça ne change rien pour moi	6 %
Ne se prononcent pas	1 %

D'après © *L'Express* IFOP – Anne Vidalie.

1. Ce tableau indique…
   - ☐ **a.** les dépenses des Français pour leur temps libre.
   - ☐ **b.** le temps consacré aux activités extraprofessionnelles.
   - ☐ **c.** l'emploi du temps des Français.
   - ☐ **d.** l'utilisation du temps libre des salariés.

2. Ces chiffres nous informent que…
   - ☐ **a.** beaucoup ne savent pas ce qu'ils font ou feraient de leur temps libre.
   - ☐ **b.** la famille reste le choix prioritaire pour un salarié sur deux.
   - ☐ **c.** un pourcentage élevé fait ou ferait plus d'achats.
   - ☐ **d.** la moitié des personnes interrogées en profitent ou en profiteraient pour se cultiver.

❸ *Boiron* invente le droit au bonheur

Le vérificateur d'orthographe est en panne. Dans chacun des paragraphes de ce texte, des parties A, B, C, D ont été soulignées. L'une de ces parties est grammaticalement incorrecte. Entourez la lettre A, B, C, ou D correspondant à la partie incorrecte et corrigez la faute.

1. Chez (A) *Boiron*, leader mondial du médicament homéopathique, […] direction des ressources humaines (B), chefs de service, membres du comité d'établissement* et même syndicalistes, se mettent en quatre (C)* pour que le salarié est bien (D).
2. Le système repose sur vingt-cinq (A) accords d'entreprises, signés (B) entre la direction et les syndicats. « Les représentants du personnel est constamment associé (C) au processus décisionnel ». Résultat : les accords sont bien acceptés (D) par les salariés.
3. Un tiers des salariés du laboratoire travaille à temps partiel parmi lequel (A) beaucoup de femmes. L'accord de préparation à la retraite a été conçu (B) pour faciliter le passage de la vie active à celle (C) de retraité, en réduisant (D) la durée du travail et ce, sans baisse de salaire.
4. Autre accord original, celui que (A) porte sur l'aide aux projets personnels (B). Une salariée a ainsi pu réaliser un voyage autour du (C) monde. Plus fort encore : l'accord d'aide à un projet d'engagement dans (D) la vie politique.

D'après *Rebondir* – n° 88, octobre 2000 – David Garcia.

* Notes : comité d'établissement : comité d'entreprise ; se mettre en quatre : tout faire pour.

1.	A	B	C	D	**3.**	A	B	C	D
2.	A	B	C	D	**4.**	A	B	C	D

4 L'agenda d'un homme d'affaires

Lisez ce document et cochez la bonne réponse.

MARDI 16

8 h 50	Parc expositions de Paris-Nord	15 h	
9 h	Colloque international	16 h	
10 h 30	Visite des stands	17 h 15	Départ pour Paris
11 h		18 h 45	Arrivée Paris
12 h 40	Départ Bruxelles	19 h 30	Lancement produit – buffet
13 h			
14 h 15	Arrivée Bruxelles	20 h	
14 h 30	Réunion des distributeurs – siège social	21 h	Retour maison
		22 h 30	

Cet homme d'affaires…

☐ **a.** passe son après-midi au bureau.

☐ **b.** voyage à l'heure du déjeuner.

☐ **c.** participe à une manifestation commerciale en Belgique.

☐ **d.** rentre pour dîner chez lui.

5 Seriez-vous prête à rester au foyer ?

Un sondage a été effectué auprès de cinq femmes qui ont répondu à la question suivante : « Seriez-vous prête à rester au foyer ? ». Vous allez entendre les réponses des cinq femmes. Indiquez si la personne interrogée répond oui, non ou si elle ne se prononce pas. Cochez la bonne réponse.

	Oui	Non	Ne se prononce pas
Personne 1	☐	☐	☐
Personne 2	☐	☐	☐
Personne 3	☐	☐	☐
Personne 4	☐	☐	☐
Personne 5	☐	☐	☐

6 Gérer les congés d'été

Vous allez entendre la réponse d'un dirigeant d'entreprise à la question : « Comment gérez-vous les absences liées aux congés d'été ? ». Indiquez si les affirmations données sont vraies ou fausses. Si les informations données sont insuffisantes pour répondre vrai ou faux, cochez la case « Non précisé ».

1. L'été, l'entreprise a de nombreux postes à pourvoir.

☐ **a.** Vrai ☐ **b.** Faux ☐ **c.** Non précisé

2. Pour poser sa candidature, il faut répondre à une offre d'emploi de l'entreprise.

☐ **a.** Vrai ☐ **b.** Faux ☐ **c.** Non précisé

3. Le recrutement se fait à partir de l'étude graphologique des lettres de motivation.

☐ a. Vrai ☐ b. Faux ☐ c. Non précisé

4. Seuls les candidats titulaires d'un diplôme universitaire sont embauchés.

☐ a. Vrai ☐ b. Faux ☐ c. Non précisé

5. Il arrive que l'entreprise recrute définitivement des intérimaires.

☐ a. Vrai ☐ b. Faux ☐ c. Non précisé

6. L'entreprise fait souvent appel à d'anciens intérimaires pour travailler à la production.

☐ a. Vrai ☐ b. Faux ☐ c. Non précisé

Connaissez-vous l'entreprise ?

Répondez aux questions en cochant la bonne réponse.

1. Vous consultez votre agenda afin de trouver un horaire disponible pour fixer une réunion. Que cherchez-vous ?

☐ **a.** Une durée.

☐ **b.** Un délai.

☐ **c.** Un créneau.

☐ **d.** Un temps.

2. L'entreprise de bâtiment où vous travaillez construit un immeuble. Vous accompagnez le directeur pour visiter sur place les travaux en cours. Où avez-vous rendez-vous ?

☐ **a.** Sur un chantier.

☐ **b.** Dans une usine.

☐ **c.** Dans un atelier.

☐ **d.** Dans un entrepôt.

3. Dans le secteur du bâtiment, les ouvriers ont l'habitude de déjeuner d'un repas rapide pris sur leur lieu de travail. Quel est le nom de ce repas ?

☐ **a.** Un souper.

☐ **b.** Un casse-croûte.

☐ **c.** Un goûter.

☐ **d.** Un cocktail.

4. Vous êtes invité à un buffet pour l'inauguration d'un nouveau magasin. Que vous propose-t-on ?

☐ **a.** Un dîner servi à table.

☐ **b.** Une exposition de meubles.

☐ **c.** Des provisions à emporter.

☐ **d.** Des boissons accompagnées de plats légers à consommer sur place.

5. Médecin, vous avez été invité avec un grand nombre de vos confrères à venir écouter un expert parler du sida dans le monde. À quoi assistez-vous ?

☐ **a.** À un conseil.

☐ **b.** À un entretien.

☐ **c.** À une communication.

☐ **d.** À une conférence.

6. L'entreprise dans laquelle vous travaillez organise deux jours de formation aux nouvelles technologies ? À quoi participerez-vous ?

☐ **a.** À un séminaire.

☐ **b.** À une manifestation.

☐ **c.** À une assemblée.

☐ **d.** À une réunion.

Organiser un déplacement

Apprenez la langue

Développer des hypothèses : *si* + verbe à l'imparfait/*si* + verbe au plus-que-parfait

1 Avec des si…

Faites des hypothèses.

1. Si ...., on se serait plus amusé.
2. Si ...., je choisirais Nice ou Cannes.
3. Si ...., nous resterions un jour de plus.
4. Si ...., tu aurais pu me rendre visite.
5. Si ...., on lui aurait donné une chambre avec vue.
6. Si ...., vous auriez pu filmer le séminaire.
7. Si ...., il n'aurait pas regretté cette formation.
8. Si ...., on aurait prolongé votre séjour.

2 Toujours des regrets et des reproches…

Le Congrès des professionnels du tourisme se tient tous les deux ans dans une ville différente de France, mais certains participants ne sont pas satisfaits du choix de la ville.

Complétez avec un verbe au conditionnel passé. Puis, à l'aide de la carte ci-contre, retrouvez de quelles villes on parle.

Si vous aviez choisi cette ville…

1. Nous .... *(venir)* avec nos enfants et ils .... *(visiter)* EuroDisney.

   Nom de la ville : ....

2. Nos conjoint(e)s .... *(pouvoir)* aller en excursion au Mont-Saint-Michel.

   Nom de la ville : ....

3. On .... *(se rendre)* en Allemagne le dimanche.

   Nom de la ville : ....

4. J(e) .... *(faire)* du ski l'après-midi.

   Nom de la ville : ....

5. Nous .... *(emmener)* nos clients dans les sympathiques cafés du quartier du Vieux-Port.

   Nom de la ville : ....

6. Napoléon nous .... *(inspirer)* et nous ....*(conquérir)* de nouveaux marchés.

   Nom de la ville : ....

7. Tout le monde .... *(assister)* à une dégustation de champagne après le congrès.

   Nom de la ville : ....

8. J'.................................... *(voir peut-être)* mon actrice préférée sur la Croisette pendant le festival du cinéma.

   Nom de la ville : ....

9. Nos collègues .... *(découvrir)* le château avec son célèbre escalier construit par le roi François Ier.

   Nom de la ville : ....

10. On .... *(boire)* de l'eau et on .... *(avoir)* les idées plus claires.

    Nom de la ville : ....

Exercez-vous en situation

1 Quel est l'intrus ?

Entourez le terme qui ne convient pas dans chacune des listes de mots et justifiez votre choix.

1. Un vol – le TGV – une croisière – un billet – une classe affaires – un décalage horaire – un carton – une navette – un trajet.
2. Un hébergement – une filiale – un hôtel – une réception – une chambre – une réservation – un bar.
3. Un congrès – un séminaire – un car – une réunion – un participant – un badge.

2 Une brochure d'hôtel

Vous devez vous rendre à Nice et vous lisez cet extrait de brochure. Répondez aux questions suivantes puis faites correspondre les pictogrammes de la brochure et leurs significations.

SOFITEL

Nice

Au centre de Nice, à deux minutes en venant de la mer par le tunnel *Jardin Albert Ier*, l'hôtel est situé face au Palais des Congrès *Acropolis*, près de la place Masséna et à cinq minutes de l'Opéra. 137 chambres, 14 suites et un appartement. Cuisine régionale au restaurant *L'Oliveraie*. Restaurant d'été *Le Sundeck* avec terrasse panoramique au bord de la piscine. Bar. Trois salles de réunion jusqu'à 120 personnes.

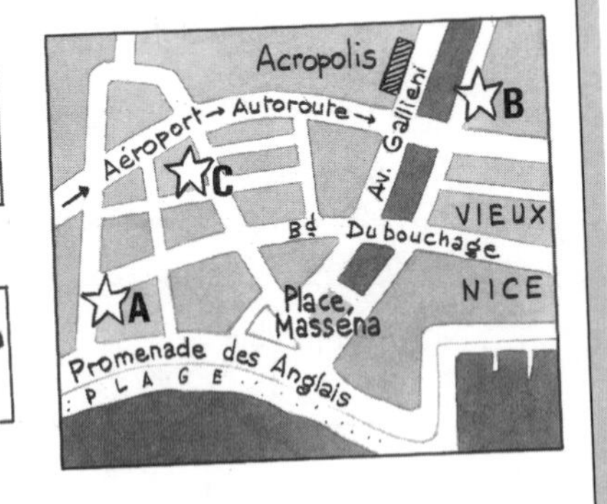

A. Où est situé le *Sofitel Nice* ? Lettre : ....

B. Quel restaurant choisissez-vous…

1. pour déguster des plats typiques de la région ? ....
2. pour admirer le paysage ? ....

C. Quel est le pictogramme ?

1. Parking ou garage : ....
2. Chambres accessibles aux handicapés : ....
3. Salle de réunion : ....
4. Nombre de chambres : ....

❸ Une télécopie

Madame Morelle a reçu une télécopie qui est incomplète. Complétez-la en choisissant le mot ou le groupe de mots qui convient dans la liste.

De : *Grand Hôtel du Centre*
Tél. : 01 48 79 80 00 – **Télécopie :** 01 48 79 86 19
Destinataire : Aurore Morelle – Société *Airtravel*
Tél. : 01 42 58 52 17 – **Télécopie :** 01 42 58 52 18

Nombre de pages : 1

Objet : séminaire journées des 16, 17 et 18 septembre

Date : 12 avril

Madame,

Comme suite à votre .... **(1)** de prix concernant un séminaire qui se déroule du 16 au 18 septembre, veuillez trouver .... **(2)** nos tarifs hors taxe service compris sur un minimum de facturation de 20 personnes comprenant :

– la location du salon de conférence Marly : 1 600 euros HT par jour. À titre .... **(3)** et confidentiel, le prix de la location est ramené à 900 euros par jour.

– le forfait repas (incluant déjeuner, location de la salle et collations) : 85 euros par personne.

Nous .... **(4)** qu'une option a bien été posée pour ces dates et qu'elle doit être levée avant le 31 août.

.... **(5)** de votre confirmation de commande par télécopie, nous vous prions de croire, Madame, à nos sentiments dévoués.

Directeur commercial
Huan M. Huan

1.	**a.** demande	**b.** espérant	**c.** facture	**d.** réclamation
2.	**a.** ci-contre	**b.** ci-joint	**c.** ci-dessus	**d.** ci-dessous
3.	**a.** rare	**b.** exceptionnel	**c.** nouveau	**d.** fréquent
4.	**a.** affirmons	**b.** promettons	**c.** engageons	**d.** confirmons
5.	**a.** Dans l'attente	**b.** En espérant	**c.** En réponse	**d.** En remerciant

4 Une ville de congrès

Vous allez entendre l'interview d'un responsable de l'office du tourisme de Biarritz qui parle de sa ville. Indiquez si les affirmations données sont vraies ou fausses. Si les informations données sont insuffisantes pour répondre vrai ou faux, cochez la case « Non précisé ».

1. À Biarritz, il fait particulièrement froid l'hiver.

☐ **a.** Vrai ☐ **b.** Faux ☐ **c.** Non précisé

2. Biarritz est une station sportive.

☐ **a.** Vrai ☐ **b.** Faux ☐ **c.** Non précisé

3. Biarritz accueille chaque année 2 000 visiteurs.

☐ **a.** Vrai ☐ **b.** Faux ☐ **c.** Non précisé

4. Les centres de congrès se trouvent à une heure de Biarritz.

☐ **a.** Vrai ☐ **b.** Faux ☐ **c.** Non précisé

5. Biarritz possède de nombreux centres commerciaux.

☐ **a.** Vrai ☐ **b.** Faux ☐ **c.** Non précisé

6. Un événement international a eu lieu à Biarritz.

☐ **a.** Vrai ☐ **b.** Faux ☐ **c.** Non précisé

5 Des patrons voyageurs

Vous allez entendre quatre patrons qui parlent de leurs voyages d'affaires. Pour chacun d'eux, répondez aux questions en cochant la bonne réponse.

Personne 1

Quelle est la place d'avion choisie par ce patron ?

☐ **a.** Au milieu.
☐ **b.** Près d'un hublot*.
☐ **c.** Du côté couloir.
☐ **d.** Près d'une sortie de secours.

Personne 2

Où sont implantés ses bureaux ?

☐ **a.** À Toulouse.
☐ **b.** À Paris.
☐ **c.** Au Brésil.
☐ **d.** En Chine.

Personne 3

Pour obtenir une place en classe affaires, que fait-il ?

☐ **a.** Il arrive très en avance à l'aéroport.
☐ **b.** Il offre une bouteille de champagne.

☐ **c.** Il se présente à l'aéroport juste à l'heure.

☐ **d.** Il paye un supplément.

Personne 4

Qui fait les réservations pour les voyages de ce patron ?

☐ **a.** Une agence de voyages.

☐ **b.** Lui-même grâce à Internet.

☐ **c.** Sa secrétaire de direction.

☐ **d.** Un service de l'entreprise.

* Note : hublot : fenêtre, dans un avion ou un bateau.

Connaissez-vous l'entreprise ?

Répondez aux questions en cochant la bonne réponse.

1. Vous vous rendez dans une agence de voyages pour vous procurer des documents sur des hôtels en Asie. Que demandez-vous ?

☐ **a.** Un livre.

☐ **b.** Un dossier.

☐ **c.** Une brochure.

☐ **d.** Un programme.

2. En voyage professionnel en France, vous en profitez pour effectuer en car de tourisme une visite organisée de la région où se trouve votre client. Où partez-vous ?

☐ **a.** En excursion.

☐ **b.** En croisière.

☐ **c.** En promenade.

☐ **d.** En course.

3. Parfois, l'hôtel met à votre disposition un transport gratuit pour vous amener à un aéroport ou sur le lieu d'un congrès. Comment s'appelle ce type de transport ?

☐ **a.** Une course.

☐ **b.** Une navette.

☐ **c.** Un acheminement.

☐ **d.** Un ramassage.

4. Pour l'organisation d'un séminaire, vous êtes chargé(e) de vous occuper de l'hébergement et du transport des participants. Comment s'appelle cette activité ?

☐ **a.** La logistique.

☐ **b.** Un organigramme.

☐ **c.** Un planning.

☐ **d.** La programmation.

5. Lors des pauses d'une journée de séminaire, on vous propose une boisson avec des gâteaux secs. Que vous offre-t-on ?

☐ **a.** Un plat.

☐ **b.** Une collation.

☐ **c.** Un repas.

☐ **d.** Un menu.

6. Vous participez à un séminaire de deux jours dans un relais château*. Vous y prenez tous vos repas et vous y dormez. Comment appelle-t-on ce type de séjour ?

☐ **a.** La demi-pension.

☐ **b.** Journalier.

☐ **c.** Forfaitaire.

☐ **d.** Résidentiel.

* Note : relais château : hôtel de luxe situé dans un cadre privilégié.

Marché et résultats de l'entreprise

Apprenez la langue

Les comparatifs : comparer une qualité/une quantité
Les superlatifs : classer en première/dernière position

1 *Prisme*, groupe mondial de distribution

Vous êtes stagiaire dans une société de grande distribution française et vous lisez l'extrait de communiqué financier suivant.

Communiqué financier

Le chiffre d'affaires consolidé du groupe *Prisme* est de 50 milliards d'euros cette année contre 39 milliards l'année dernière, soit une hausse de 28 %. Cette forte progression est due essentiellement à la fusion avec le groupe *Eurodistri*, numéro 5 de la distribution en grandes surfaces en Europe. Le chiffre d'affaires France est de 18 milliards d'euros cette année, soit une augmentation de 5 % sur un an en raison d'une certaine saturation* du marché. Le résultat d'exploitation progresse de 50 % pour s'établir à 1 210 millions d'euros.

Le groupe *Prisme* est le leader mondial de la distribution présent dans 8 pays, avec 2,5 milliards de clients et près de 10 000 magasins. Sur les 10 000 magasins, on en compte 7 500 en Europe dont la France (3 700 magasins), l'Espagne (3 200 magasins), l'Italie (600), 1 950 sur le continent américain dont le Brésil (1 190), l'Argentine (490), le Mexique (270) et enfin l'Asie avec 550 magasins dont la Chine (260), la Corée (148) et le Japon (142).

* Note : saturation : ici, marché encombré, avec peu de perspectives de développement.

A. Complétez les phrases avec les mots de la liste suivante. Attention aux articles.
la majorité de – de moitié – un tiers de – les trois quarts de – le quart de

1. Le chiffre d'affaires France du groupe *Prisme* représente un peu plus de .... chiffre d'affaires total du groupe.
2. .... magasins du groupe *Prisme* sont situés en Europe.
3. Le résultat d'exploitation du groupe *Prisme* a augmenté ....
4. L'Argentine représente .... nombre total des magasins du groupe *Prisme* sur le continent américain.
5. Le nombre des magasins en Europe représente .... nombre total des magasins du groupe *Prisme*.

B. **Retrouvez les deux phrases qui ont la même signification.**

Réponse : ....

C. **Retrouvez les pays cités dans le communiqué financier en première et en dernière position pour chacune des trois zones (Europe, Amérique, Asie) et faites des phrases comme dans l'exemple.**

Exemple : La France est le pays qui a le plus grand nombre de magasins du groupe Prisme *en Europe.*

1. ....
2. ....
3. ....
4. ....
5. ....

❷ Comment dire ?

Cochez la proposition incorrecte.

1. Annoncer l'ordre du jour

☐ **a.** « Puisque nous voici réunis, parlons du bilan. »

☐ **b.** « La séance d'aujourd'hui a été consacrée au bilan. »

☐ **c.** « Je vous ai réunis pour faire le bilan. »

2. Donner la parole

☐ **a.** « Marc, nous vous écoutons. »

☐ **b.** « Marc, vous désirez intervenir ? »

☐ **c.** « Marc, vous n'avez pas de remarques à faire ? Très bien. »

3. Prendre la parole

☐ **a.** « Je constate qu'il n'y a rien à ajouter. »

☐ **b.** « Si vous le permettez, je voudrais commenter ces chiffres. »

☐ **c.** « Juste une remarque pour commenter ces chiffres. »

4. Constater des faits ou des résultats

☐ **a.** « Faisons le point sur nos résultats. »

☐ **b.** « On voit donc que nos résultats sont en nette régression. »

☐ **c.** « Il convient de constater que nos résultats sont en nette progression. »

5. Conclure

☐ **a.** « Bien, c'est tout pour aujourd'hui. »

☐ **b.** « Alors, on ne s'arrête pas aujourd'hui ? »

☐ **c.** « Bon, je ne vois rien à ajouter. »

Exercez-vous en situation

1 Chiffres et mercatique

Vous recherchez dans le sommaire d'une revue d'économie des articles qui traitent de résultats d'entreprises et d'études de marché. Lisez ces titres d'articles et classez-les en cochant la bonne colonne.

	Résultats et chiffres	Études de marché
a. Une nouvelle façon d'augmenter son capital.	☐	☐
b. Élaborez votre budget.	☐	☐
c. Faire face à un contrôle fiscal.	☐	☐
d. Mercatique : quelle méthode d'enquête choisir ?	☐	☐
e. Réussir une opération de publipostage.	☐	☐
f. Limitez vos bénéfices pour payer moins d'impôts.	☐	☐
g. Comment tout savoir sur vos concurrents ?	☐	☐
h. Pénétrer le marché européen.	☐	☐

2 Le mot caché

Un même mot est manquant dans chacune des trois phrases. Retrouvez-le.

La hausse du .... du dollar rend les produits importés plus chers.

Pour préparer les examens de la *Chambre de Commerce et d'Industrie de Paris (CCIP)*, je suis des .... de français des affaires.

Dans un curriculum vitæ, on mentionne les diplômes obtenus au .... de ses études.

Premier mot : ....

À la fin de chaque exercice comptable, les entreprises doivent publier un ....

Chaque année, je vais voir mon médecin afin de faire un .... de santé.

Le .... du trimestre est très positif car nous avons augmenté notre chiffre d'affaires de 30 %.

Deuxième mot : ....

Comme je n'ai plus de provisions dans mon réfrigérateur, je dois aller au ....

Nous avons enfin trouvé un fournisseur qui vend des vêtements bon ....

Nous venons de remporter un important .... en Égypte en signant un gros contrat.

Troisième mot : ....

❸ Des chiffres à suivre

Observez ces graphiques : ils indiquent le chiffre d'affaires de quatre sociétés pendant un semestre. Choisissez, parmi les huit commentaires, les quatre qui correspondent respectivement à chaque graphique en notant le numéro qui convient.

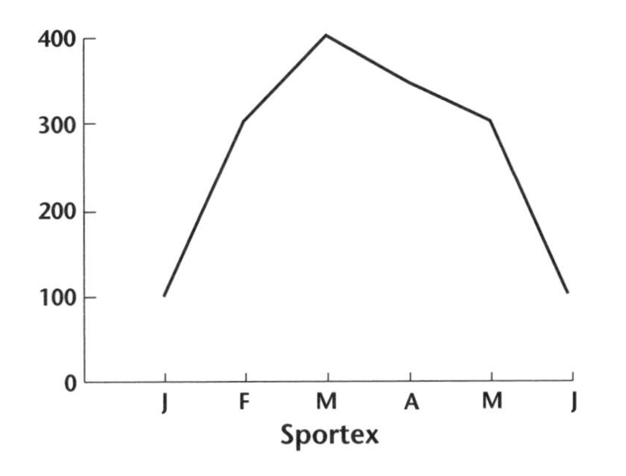

Commentaire : n° ....

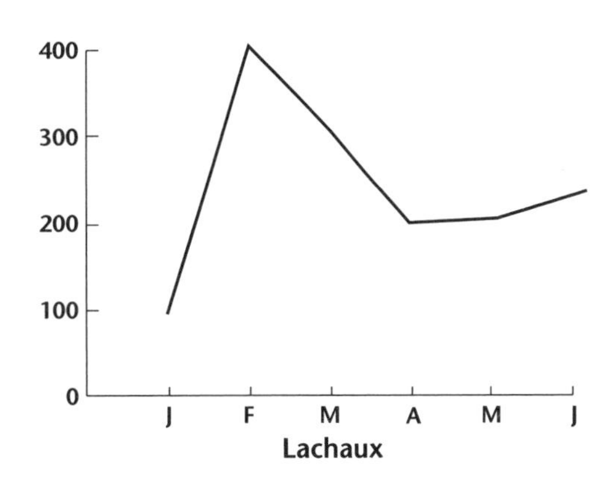

Commentaire : n° ....

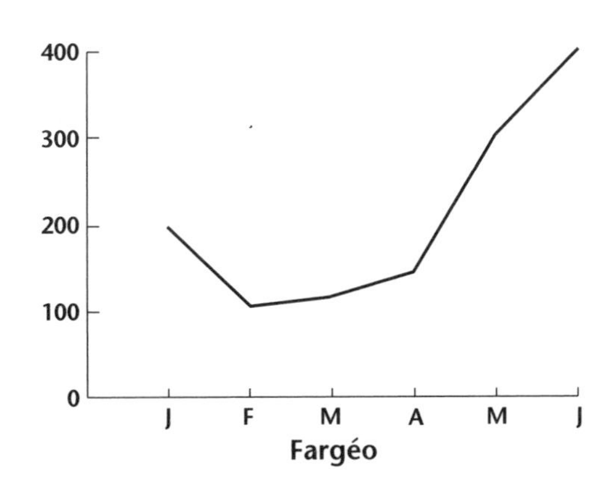

Commentaire : n° ....

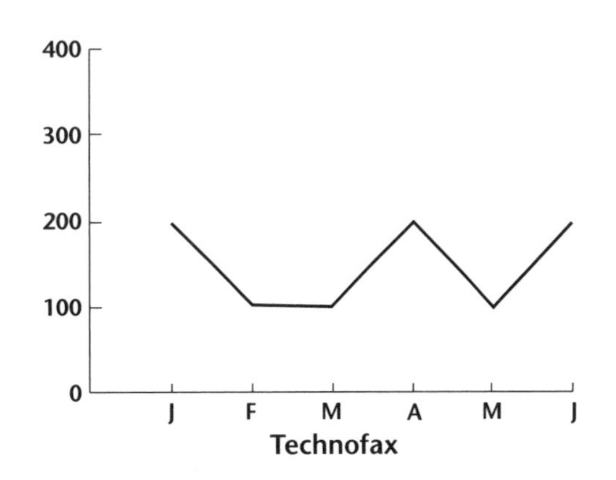

Commentaire : n° ....

1. Son chiffre d'affaires a augmenté tout au long du semestre.
2. C'est la société qui a eu le meilleur chiffre d'affaires en février.
3. En fin de semestre, son chiffre a été moins bon qu'au début de l'année.
4. Son chiffre d'affaires a autant baissé en février qu'en mai.
5. Ce groupe français affiche une très forte progression en mai et juin.
6. Son chiffre d'affaires d'avril est le moins bon du semestre.
7. La baisse a été aussi forte en février qu'en juin.
8. Cette entreprise a fait mieux en mars qu'en avril et mai.

4 Une enquête de satisfaction

Une revue fait une enquête de satisfaction auprès de ses abonnés. Lisez la lettre et complétez-la en choisissant le groupe de mots qui convient dans la liste.

Madame, Monsieur,

Vos avis et vos commentaires sur *Entrepreneurs d'aujourd'hui* sont pour nous une source d'information précieuse qui nous permet de mieux vous connaître. .... **(1)**.

Nous vous adressons aujourd'hui un questionnaire. .... **(2)**.

.... **(3)**. Vous le choisirez vous-même sur la dernière page du questionnaire.

Vous verrez également sur cette page divers objets : nous procédons chaque mois à un tirage au sort. .... **(4)**.

Nous vous prions de croire, Madame, Monsieur, à l'assurance de nos sentiments distingués.

Directeur marketing

Alain Morel

a. Vous pourrez peut-être gagner l'un deux.
b. Nous aurons, de plus, le plaisir de vous faire parvenir un cadeau.
c. Nous en tenons compte pour réaliser pour vous un meilleur journal.
d. Nous comptons sur une réponse rapide.
e. Nous vous serions reconnaissants de le remplir et de nous le retourner.
f. Nous vous en remercions.

5 Des résultats et des chiffres

Votre patron vous a laissé un message sur votre boîte vocale afin de compléter et de corriger le communiqué financier à paraître. Écoutez et notez les chiffres qui conviennent.

GROUPE SPORTEX

	1er semestre (en millions d'euros)
Chiffre d'affaires consolidé	**400,52**
Articles de sports d'hiver	**306,82**
dont : – Produits ski	…
– Textile	20,20
Autres activités	**80**
dont : – Golf	56,60
– Tennis	…

Le premier semestre voit une progression du chiffre d'affaires de 27,5 %.
Le résultat net de 24,2 millions d'euros est en très nette hausse.

6 Des clients répondent

Vous allez entendre les réponses de cinq personnes à un questionnaire de satisfaction. Pour chaque réponse donnée, indiquez à quel sujet elle se rapporte. Choisissez dans la liste et notez la lettre qui correspond à la bonne réponse.

Personne 1 : …

Personne 2 : …

Personne 3 : …

Personne 4 : …

Personne 5 : …

A. Produits
B. Concurrence
C. Livraison
D. Lieu d'achat
E. Vendeur
F. Prix
G. Identité du client
H. Service après-vente

Connaissez-vous l'entreprise ?

Répondez aux questions en cochant la bonne réponse.

1. Vous souhaitez savoir si votre client a fait des bénéfices ou des pertes. Que regardez-vous dans son bilan ?

- ☐ **a.** Le capital.
- ☐ **b.** Le résultat.
- ☐ **c.** Les créances.
- ☐ **d.** Les disponibilités.

2. Vous avez besoin de vous procurer le bilan de votre société ? Quel service contactez-vous ?

- ☐ **a.** Le service financier.
- ☐ **b.** Le service marketing.
- ☐ **c.** Le département recherche et développement.
- ☐ **d.** Le service commercial.

3. Pour se développer, votre entreprise vient de se regrouper avec une autre entreprise du même secteur d'activité. Son nouveau nom est *Avantis*. De quelle forme de concentration s'agit-il ?

- ☐ **a.** D'une fusion.
- ☐ **b.** D'une participation.
- ☐ **c.** D'une filiale.
- ☐ **d.** D'une chaîne.

4. Vous souhaitez connaître l'opinion des consommateurs sur vos produits et vous posez des questions auprès d'un échantillon représentatif de la population. Que faites-vous ?

- ☐ **a.** Un test.
- ☐ **b.** Un sondage.
- ☐ **c.** Un compte rendu.
- ☐ **d.** Une recherche.

5. Vous avez entreposé des produits en attendant de les vendre. Comment appelle-t-on ces marchandises ?

- ☐ **a.** Un solde.
- ☐ **b.** Un stock.
- ☐ **c.** Une réserve.
- ☐ **d.** Un entrepôt.

6. Pour créer votre entreprise, vous avez besoin d'argent. Vous allez trouver un banquier. Que lui demandez-vous ?

- ☐ **a.** Une dette.
- ☐ **b.** Un emprunt.
- ☐ **c.** Une créance.
- ☐ **d.** Des ressources.

Fabrication et mode d'emploi

Apprenez la langue

Exprimer la finalité/le but recherché :
– *pour/afin de/dans le but de/de manière à/ce qui permet de* + verbe à l'infinitif
– *pour que/afin que* + verbe au subjonctif

1 ***Pizzas Tradition* : au cœur du procédé de fabrication**
Reformulez ces différentes opérations de manière variée.
Exemple : Le feu est préparé avec du bois de chêne : donner aux pizzas leur arôme inimitable.
→ pour que/afin que les pizzas aient un arôme inimitable.
→ ce qui permet de donner aux pizzas leur arôme inimitable.
→ de manière à donner aux pizzas leur arôme inimitable.

1. On utilise des silos* : stocker la farine.

....
....
....

2. Pendant qu'un silo se vide, nous remplissons le deuxième : laisser un temps suffisant de repos pour la farine.

....
....
....

3. Le pétrissage* se fait dans des pétrins : garder à la pâte sa souplesse.

....
....
....

4. On utilise une pelle à manche : disposer chaque pizza au centre du four.

....
....
....

5. Le four comporte un minuteur : assurer une cuisson optimale.

....

....

....

6. Après surgélation*, on met les pizzas dans des étuis en carton : respecter les normes d'hygiène.

....

....

....

* Notes :
– silo : grand réservoir où l'on stocke les céréales ;
– pétrissage (verbe pétrir) : presser et remuer en tous sens ;
– surgélation : mettre un produit à une température très froide pour le conserver.

Expliquer le déroulement d'un processus

2 Fabrication du cidre fermier

Voici les noms et les caractéristiques des principales étapes de la fabrication du cidre*.

A. Faites correspondre.

1. La récolte consiste à…
2. Le broyage consiste à…
3. Le cuvage consiste à…
4. Le pressage consiste à…
5. La fermentation consiste à…
6. La mise en bouteilles consiste à…

a. presser la pulpe pour extraire le jus du fruit.
b. placer le cidre dans des fûts* permettant la sortie du CO_2 de la cuve tout en empêchant l'entrée de l'air.
c. verser le cidre obtenu dans des bouteilles.
d. écraser les pommes.
e. ramasser les pommes.
f. exposer à l'air le jus qui sort du broyeur.

* Notes :
– cidre : boisson alcoolisée obtenue par la fermentation du jus de pomme ;
– fût : tonneau en bois utilisé pour conserver de grandes quantités d'alcool.

B. Rédigez le processus de fabrication du cidre. Aidez-vous de la rubrique « Comment dire » du livre « Affaires à suivre », page 107.

On commence par la récolte des pommes. D'abord, on ....

....

....

....

....

....

Exercez-vous en situation

1 Une journée « portes ouvertes »

L'entreprise dans laquelle vous travaillez organise une journée « portes ouvertes ».
Lisez la lettre suivante et complétez-la en choisissant le mot qui convient dans la liste.

Myriade électronique

212, boulevard Bineau
92200 Neuilly-sur-Seine

Neuilly, le 24 août…

Madame, Mademoiselle, Monsieur,

Après un an d'existence, notre société .... **(1)** auprès de ses clients d'une très bonne image, celle d'une entreprise de pointe dans le domaine de l'électronique.

Il nous a donc paru normal que celles et ceux qui contribuent chaque jour à enrichir ce savoir-faire puissent faire découvrir à leur famille les multiples .... **(2)** de leur entreprise. C'est pourquoi nous vous .... **(3)** à une journée « portes ouvertes » qui aura lieu le samedi 9 septembre dans nos deux établissements de la région parisienne.

Au travers d'une visite guidée, vos .... **(4)** vous présenteront leur domaine d'activité. Ce sera également pour vous l'occasion de faire découvrir à votre famille votre .... **(5)** de travail.

C'est avec plaisir que je vous donne rendez-vous à l'occasion de cet événement.

Dans cette attente, je vous prie de croire, Madame, Mademoiselle, Monsieur, à l'expression de mes sentiments distingués.

Président-Directeur Général

Julien Loupie

1.	**a.** apporte	**b.** bénéficie	**c.** accorde	**d.** donne
2.	**a.** atouts	**b.** biens	**c.** inconvénients	**d.** chances
3.	**a.** informons	**b.** venons	**c.** invitons	**d.** organisons
4.	**a.** fournisseurs	**b.** clients	**c.** employés	**d.** collègues
5.	**a.** entourage	**b.** environnement	**c.** compagnie	**d.** voisinage

❷ Des instructions à suivre

Lisez les instructions suivantes adressées au personnel de *Myriade Électronique* et indiquez si les affirmations sont vraies ou fausses. Si les informations données sont insuffisantes pour répondre vrai ou faux, cochez la case « Non précisé ».

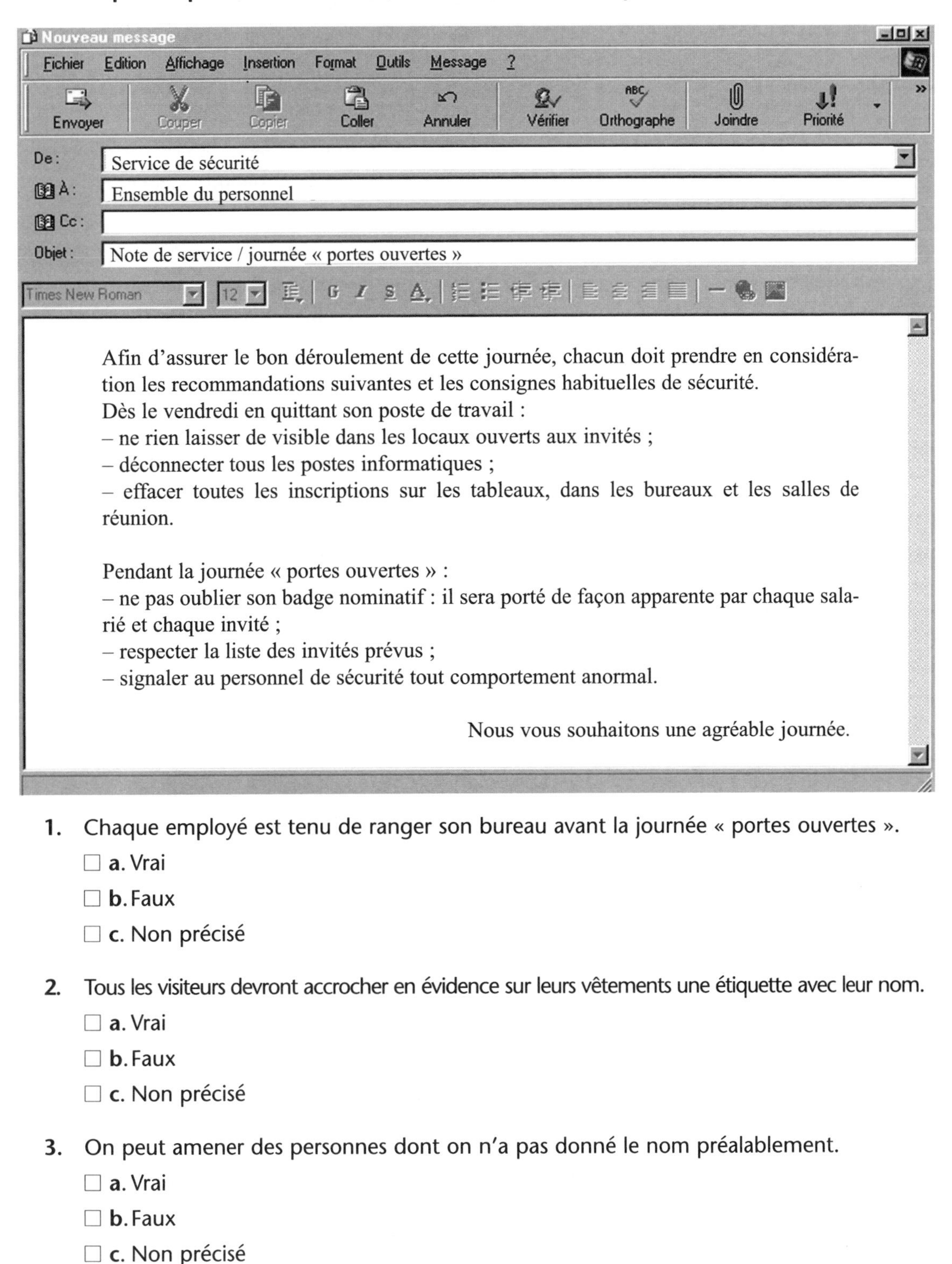
Nouveau message

Fichier Edition Affichage Insertion Format Outils Message ?

Envoyer Couper Copier Coller Annuler Vérifier Orthographe Joindre Priorité

De : Service de sécurité

À : Ensemble du personnel

Cc :

Objet : Note de service / journée « portes ouvertes »

Afin d'assurer le bon déroulement de cette journée, chacun doit prendre en considération les recommandations suivantes et les consignes habituelles de sécurité.

Dès le vendredi en quittant son poste de travail :
– ne rien laisser de visible dans les locaux ouverts aux invités ;
– déconnecter tous les postes informatiques ;
– effacer toutes les inscriptions sur les tableaux, dans les bureaux et les salles de réunion.

Pendant la journée « portes ouvertes » :
– ne pas oublier son badge nominatif : il sera porté de façon apparente par chaque salarié et chaque invité ;
– respecter la liste des invités prévus ;
– signaler au personnel de sécurité tout comportement anormal.

Nous vous souhaitons une agréable journée.

1. Chaque employé est tenu de ranger son bureau avant la journée « portes ouvertes ».

☐ **a.** Vrai
☐ **b.** Faux
☐ **c.** Non précisé

2. Tous les visiteurs devront accrocher en évidence sur leurs vêtements une étiquette avec leur nom.

☐ **a.** Vrai
☐ **b.** Faux
☐ **c.** Non précisé

3. On peut amener des personnes dont on n'a pas donné le nom préalablement.

☐ **a.** Vrai
☐ **b.** Faux
☐ **c.** Non précisé

3 Connaissez-vous ces lieux ?

Faites correspondre.

1. Une usine
2. Une fabrique
3. Une manufacture
4. Un atelier
5. Un entrepôt

a. Lieu où des artisans, des ouvriers travaillent en commun à un même ouvrage.
b. Établissement industriel destiné à la fabrication d'objets, utilisant des machines en grand nombre.
c. Local de stockage des produits finis.
d. Établissement où le travail se fait surtout à la main.
e. Établissement de moyenne importance ou peu mécanisé.

4 Emballages et contenus

Vous avez besoin d'emballer des produits que vous commercialisez. Plusieurs emballages ou conditionnements sont à votre disposition. Faites correspondre. Plusieurs réponses sont possibles.

1. Une boîte
2. Un sachet
3. Une caisse
4. Un flacon
5. Un fût
6. Une bouteille
7. Un sac
8. Un tube
9. Un pot

a. en verre.
b. en bois.
c. en plastique.
d. en papier.
e. en métal.
f. en carton.
g. en tissu.

5 Des nouvelles brèves

Vous allez entendre cinq informations diffusées à la radio. Pour chacune d'elles, indiquez à quel sujet elle se rapporte. Choisissez dans la liste et notez la lettre qui correspond à la bonne réponse.

Annonce 1 : ...
Annonce 2 : ...
Annonce 3 : ...
Annonce 4 : ...
Annonce 5 : ...

A. Coûts de production
B. Délais de livraison
C. Diversification des activités
D. Nouveau marché
E. Investissements
F. Emploi
G. Lancement d'un produit
H. Résultats financiers

6 Comment se protéger de la contrefaçon* ?

Cinq chefs d'entreprise ont répondu à la question suivante : « Quels moyens utilisez-vous pour vous protéger de la contrefaçon ? » Pour chaque réponse, indiquez le moyen utilisé. Choisissez dans la liste et notez la lettre qui correspond à la bonne réponse.

Personne 1 : ...

Personne 2 : ...

Personne 3 : ...

Personne 4 : ...

Personne 5 : ...

A. Ajuster les prix.

B. Former des acheteurs.

C. Entamer une procédure judiciaire.

D. Imposer la confidentialité aux sous-traitants.

E. Adopter un système efficace de marquage.

F. Cibler ses dépôts de brevets.

G. Fabriquer soi-même les produits.

H. Faire évoluer sans cesse les produits.

* Note : la contrefaçon : action de copier une œuvre artistique, industrielle... sans en avertir son auteur.

Connaissez-vous l'entreprise ?

Répondez aux questions en cochant la bonne réponse.

1. Votre ordinateur est en panne. À quel service de l'entreprise vous adressez-vous pour le faire réparer ?

- ☐ **a.** Au service financier.
- ☐ **b.** À la production.
- ☐ **c.** À la maintenance.
- ☐ **d.** Au contrôle de gestion.

2. Lors d'une journée « portes ouvertes », vous effectuez une visite guidée à l'aide de flèches. Que suivez-vous ?

- ☐ **a.** Un chemin.
- ☐ **b.** Un circuit.
- ☐ **c.** Une circulation.
- ☐ **d.** Un cours.

3. Vous visitez une fabrique de chocolats où on vous explique les différentes étapes de fabrication. Que vous montre-t-on ?

- ☐ **a.** La procédure.
- ☐ **b.** L'exposition.
- ☐ **c.** Le développement.
- ☐ **d.** Le processus.

4. L'usine où vous travaillez est entièrement automatisée. Comment se fait le travail ?

- ☐ **a.** Manuellement.
- ☐ **b.** Uniquement à l'aide de machines.
- ☐ **c.** Avec un effectif nombreux d'ouvriers.
- ☐ **d.** Artisanalement.

5. Par souci de l'environnement, les bouteilles en verre et en plastique sont ramassées. Que font les entreprises spécialisées avec ces emballages ?

- ☐ **a.** Elles les collectent.
- ☐ **b.** Elles les réunissent.
- ☐ **c.** Elles les implantent.
- ☐ **d.** Elles les engagent.

6. Vous venez d'acheter un nouveau téléphone portable. Il est accompagné d'un document avec des conseils d'utilisation. Que lisez-vous ?

- ☐ **a.** Un compte rendu.
- ☐ **b.** Une notice.
- ☐ **c.** Une note.
- ☐ **d.** Un formulaire.

pp. 115 à 124

Passer commande

Apprenez la langue

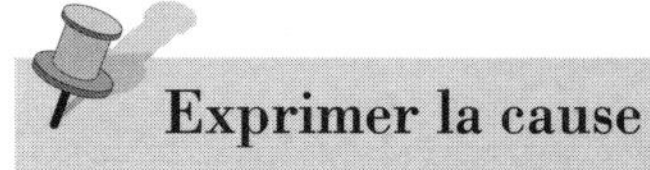

Exprimer la cause

1 Bonnes et mauvaises nouvelles

A. Lisez les messages suivants et indiquez s'il s'agit d'une réclamation ou d'une offre commerciale.

1. Grâce à cette promotion, nous espérons vous compter bientôt au nombre de nos fidèles clients.
2. Je suis tout à fait mécontent de votre livraison. En effet, la marchandise que j'ai reçue m'est parvenue dans un état défectueux.
3. Étant donné le caractère exceptionnel de cette offre, nous vous conseillons de prendre contact avec nous le plus rapidement possible.
4. Et vous nous mettez dans une situation difficile à cause de ce retard de fabrication.
5. Puisque je n'ai pas été livré dans les délais, je demande une réduction de 10 % à valoir sur ma commande.
6. Par la présente, nous tenons à vous informer que nous avons refusé la livraison que vous nous avez faite car quatre lots de pièces sur dix étaient manquants.

Réclamations : .... **Offres commerciales :** ....

B. Soulignez les différentes expressions de la cause utilisées.

2 Pour de multiples raisons...

Reformulez chaque phrase en utilisant l'expression de la cause qui convient (*étant donné* + nom*, *grâce à* + nom*, *à cause de* + nom*) comme dans l'exemple.

Exemple : C'est une rupture de stock qui vous a obligés à proposer un autre produit à ce client.
→ Nous avons dû proposer un autre produit à ce client à cause d'une rupture de stock.

1. Comme ce champagne est d'une qualité exceptionnelle, nous le réservons à nos meilleurs clients.

....

....

2. C'est une erreur dans la transcription de l'adresse qui est à l'origine du retard dans la livraison.

....

....

3. Les fêtes de Noël approchent, les commandes vont donc se multiplier et les délais de livraison augmenter.

....

....

4. C'est un geste commercial de notre part qui vous a permis d'obtenir cette réduction de 5 %.

....

....

5. Notre offre promotionnelle permettra de toucher davantage de clients.

....

....

6. Comme nos délais de livraison sont très courts, vous recevrez la marchandise dès lundi.

....

....

---

* Notes :
– *Étant donné* est utilisé pour souligner le lien cause/conséquence ;
– *Grâce à* est utilisé quand la cause a un sens positif ;
– *À cause de* est utilisé quand la cause a un sens neutre ou négatif.

Exprimer la conséquence

3 Tout a une explication

Faites correspondre.

1. La majorité des appareils sont arrivés endommagés à la suite d'un choc…
2. Vous n'avez pas respecté les délais de livraison…
3. Il y a eu une grève des transporteurs…
4. Nos prix sont indiqués TTC…
5. M. Monluc voulait vous prévenir de cet incident…

a. c'est pour cela qu'il a appelé.
b. par conséquent vous n'aurez pas la TVA à ajouter.
c. c'est pourquoi nous vous les retournons.
d. c'est la raison pour laquelle la livraison a été faite avec trois jours de retard.
e. en conséquence nous annulons notre commande.

Exercez-vous en situation

1 Les phases de la vente

A. Voici les différentes étapes d'un achat-vente entre un client et un fournisseur. Retrouvez l'ordre chronologique.

A. Livraison : ....

B. Recherche du fournisseur : ....1....

C. Commande : ....

D. Facturation : ....

E. Après-vente : ....

F. Règlement : ....

G. Accusé de réception de la commande : ....

B. Pour chacun des documents suivants, notez la lettre qui correspond à l'étape de l'achat-vente ci-dessus.

1. Un bon de livraison : ....

2. Un accusé de réception : ....

3. Une facture : ....

4. Un chèque : ....

5. Un bon ou un bulletin de commande : ....

6. Un appel d'offres ou une demande de renseignements : ....

7. Un bon de garantie : ....

2 Au service des ventes

Lisez ces documents et répondez aux questions en cochant la bonne réponse.

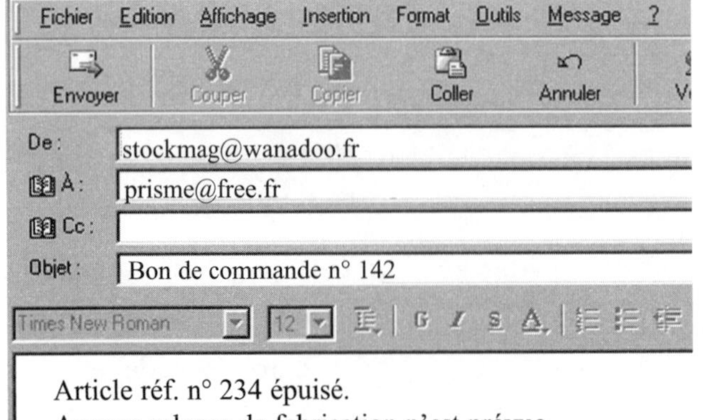
Fichier Edition Affichage Insertion Format Outils Message ?

Envoyer Couper Copier Coller Annuler

De : stockmag@wanadoo.fr

À : prisme@free.fr

Cc :

Objet : Bon de commande n° 142

Article réf. n° 234 épuisé.
Aucune relance de fabrication n'est prévue.
Contacter d'urgence le client par téléphone.

1. Vous devez informer le client :

☐ **a.** d'un retard de livraison.

☐ **b.** d'une panne de machine.

☐ **c.** d'une marchandise non conforme à la commande.

☐ **d.** d'une rupture de stock.

Conditions générales de vente (extrait)

Article 8

Vous commandez quand vous le voulez : sur Internet, par téléphone, par minitel ou par courrier. Les prix et les produits sont les mêmes qu'en magasin. Vos achats sont livrés directement chez vous dans le créneau horaire de livraison qui vous convient. Vous êtes livrés à partir de 35 euros, avec une participation aux frais de 5 euros.

2. Si vous commandez par Internet :

- ☐ **a.** le transport est toujours gratuit.
- ☐ **b.** les produits sont plus chers.
- ☐ **c.** le montant des achats doit être de 30 euros au minimum.
- ☐ **d.** la livraison est faite quand vous le souhaitez.

Conditions générales de vente (extrait)

Article 6

Tous nos articles ont été rigoureusement sélectionnés et testés par notre service des achats. Pendant la période de garantie, nous assurons gratuitement toutes les réparations y compris le remplacement, la main-d'œuvre et les frais de transport.

3. En cas d'article défectueux :

- ☐ **a.** le transport est à la charge du client.
- ☐ **b.** le transport est à la charge du fournisseur.
- ☐ **c.** la réparation est gratuite quelle que soit la date d'achat.
- ☐ **d.** seul le travail de l'ouvrier est facturé.

De : aportic@imagine.fr
À : erivage@unidiffusion.fr
Cc :
Objet : bon de commande n°140

Veuillez expédier notre commande du 25 mai sous 48 heures sinon nous nous verrons dans l'obligation d'annuler notre ordre.
Avec nos salutations.
Anna Portic

4. Que demande Anna Portic ?

- ☐ **a.** Une livraison urgente.
- ☐ **b.** Un article de remplacement.
- ☐ **c.** L'annulation de la commande.
- ☐ **d.** La modification de la commande.

❸ Bonnes et mauvaises nouvelles

Faites correspondre.

1. Nous avons bien reçu

2. Malheureusement,

3. Nous sommes heureux de

4. Nous sommes au regret de

5. C'est avec plaisir que

a. ne pouvoir vous livrer votre ordre dans sa totalité.

b. vous informer que nous vous consentons une remise de 10 % à titre exceptionnel.

c. nous sommes dans l'impossibilité de satisfaire votre demande car notre stock est épuisé.

d. votre commande et vous en remercions.

e. nous vous adressons les échantillons demandés.

❹ Au service promotion

L'entreprise dans laquelle vous effectuez un stage vous prie de répondre aux demandes de documentation des clients. Lisez la lettre, puis complétez-la en choisissant le mot qui convient dans la liste.

Tressac Tissus

27, avenue Jean Monnet – ZI Nord
54020 Nancy CEDEX

Chartreuse Déco
15, avenue Pierre de Coubertin
38000 Grenoble

Objet : envoi de documentation
Nos Réf : AB/HL

Nancy, le 17 juin…

Monsieur,

En réponse à votre .... **(1)**, nous avons le plaisir de vous adresser ci-joint une documentation .... **(2)** sur nos tissus de décoration. Nous vous remercions de l' .... **(3)** que vous portez à nos produits et vous adressons sous pli séparé des .... **(4)** de notre dernière collection.

Nous vous .... **(5)** une remise de 10 % pour tout achat supérieur à 150 euros. Les articles vous seront .... **(6)** sous quinze jours franco de port. Le .... **(7)** est à effectuer par chèque dès réception de la facture.

Nous vous assurons que le meilleur .... **(8)** sera apporté à l'exécution de vos ordres.

Nous vous prions de croire, Monsieur, à nos sentiments dévoués.

Directeur commercial

Hervé Loric

1.	**a.** offre	**b.** renseignement	**c.** demande	**d.** réclamation
2.	**a.** complète	**b.** entière	**c.** pleine	**d.** exemplaire
3.	**a.** avantage	**b.** intérêt	**c.** engagement	**d.** achat
4.	**a.** morceaux	**b.** exemples	**c.** propositions	**d.** échantillons
5.	**a.** consentons	**b.** donnons	**c.** acceptons	**d.** bénéficions
6.	**a.** reçus	**b.** recommandés	**c.** commandés	**d.** livrés
7.	**a.** règlement	**b.** virement	**c.** relevé	**d.** montant
8.	**a.** soin	**b.** délai	**c.** emballage	**d.** transport

5 De brèves communications

Vous allez entendre quatre brèves communications téléphoniques. Pour chacune d'elles, répondez aux questions en cochant la bonne réponse.

1. Une commande

Quelle est la référence de l'article commandé ?

- ☐ **a.** 286 462.
- ☐ **b.** 87 000.
- ☐ **c.** 572 478.
- ☐ **d.** 27,90.

2. Au téléphone

Quel est le motif de l'appel ?

- ☐ **a.** Annuler une commande.
- ☐ **b.** Adresser une réclamation.
- ☐ **c.** Négocier des conditions de vente.
- ☐ **d.** Modifier un ordre.

3. Message sur répondeur

Quel est le problème ?

- ☐ **a.** Une quantité non conforme.
- ☐ **b.** Un retard de livraison.
- ☐ **c.** Un arrêt de fabrication.
- ☐ **d.** Une rupture de stock.

4. Au service clientèle

Que fait le vendeur ?

- ☐ **a.** Il reprend la marchandise.
- ☐ **b.** Il refuse d'accéder à la demande.
- ☐ **c.** Il consent une réduction.
- ☐ **d.** Il propose un arrangement.

Connaissez-vous l'entreprise ?

Répondez aux questions en cochant la bonne réponse.

1. Dans un contrat de vente, vous lisez la condition de vente suivante : « les marchandises sont livrées franco de port ». Que signifie cette expression ?

- ☐ **a.** Le transport est gratuit pour le client.
- ☐ **b.** La marchandise est transportée par bateau.
- ☐ **c.** Le transport est à la charge du client.
- ☐ **d.** Le client règle directement le transporteur.

2. Vous n'avez toujours pas reçu la marchandise commandée et vous perdez des ventes. Qu'est-ce que cela vous cause ?

- ☐ **a.** Une opposition.
- ☐ **b.** Une réclamation.
- ☐ **c.** Un préjudice.
- ☐ **d.** Un désaccord.

3. Votre fournisseur vous promet une livraison sous huit jours ? Quand la marchandise vous parviendra-t-elle ?

- ☐ **a.** Dans les huit jours.
- ☐ **b.** Dans huit jours au moins.
- ☐ **c.** À partir d'une semaine.
- ☐ **d.** Après une semaine.

4. Lors de la réception de la marchandise, vous constatez que l'on vous a livré 30 pots de miel au lieu des 30 pots de confiture de fraises commandés. Qu'indiquez-vous sur le bon de livraison ?

- ☐ **a.** Quantité non conforme.
- ☐ **b.** Marchandise endommagée.
- ☐ **c.** Qualité non conforme.
- ☐ **d.** Erreur de livraison.

5. Vous passez un ordre sur un imprimé à l'en-tête de votre entreprise. Que remplissez-vous ?

- ☐ **a.** Un bon d'achat.
- ☐ **b.** Un bon de commande.
- ☐ **c.** Un bordereau d'achat.
- ☐ **d.** Un bulletin de commande.

6. Le bulletin de commande indique « livraison par nos soins ». Qui assure la livraison de vos marchandises ?

- ☐ **a.** Vous-même.
- ☐ **b.** Votre fournisseur.
- ☐ **c.** Votre transporteur.
- ☐ **d.** Votre livreur.

Promotion et vente

Apprenez la langue

Exprimer une cause : *en effet, car, effectivement, parce que* – Exprimer une conséquence : *c'est pourquoi, par conséquent, c'est la raison pour laquelle, aussi/ainsi* – Exprimer une opposition : *par contre, en revanche, mais*

1 Des argumentaires de vente

Complétez ces argumentaires de vente pour différents produits et services. Choisissez une expression de cause, de conséquence ou d'opposition selon le sens.

Exemple : Vous ne profiterez pas de la meilleure promotion du mois en revanche/par contre vous bénéficierez des meilleurs tarifs toute l'année.

1. Vous n'aurez pas le sentiment d'être trompé .... vous disposerez d'une offre tarifaire claire.
2. Vous disposerez d'une carte personnelle d'accès à la salle de sport : .... vous pourrez vous y rendre quand vous le souhaitez.
3. Vous pouvez passer commande 24 heures sur 24 et 7 jours sur 7 : .... des opératrices sont à votre disposition pour vous répondre.
4. Vous ne serez pas forcément millionnaire .... vous réaliserez d'excellentes opérations.
5. Bien sûr on pourrait développer une longue liste d'arguments techniques .... c'est en essayant ce nouveau rasoir que vous comprendrez.
6. .... vous voulez prouver la qualité de vos produits et services, notre professionnalisme sera un moteur pour votre développement commercial.
7. Nous vous garantissons le créneau horaire de diffusion des spots publicitaires .... les prix restent très élevés.

Exprimer une appréciation, un point de vue, une nécessité : *il est essentiel de* + verbe à l'infinitif/*il est essentiel que* + verbe au subjonctif ; *il faut* + verbe à l'infinitif/*il faut que* + verbe au subjonctif

2 Des conseils à suivre

Un responsable des ventes de téléphones mobiles accepte pour le magazine « Que choisir ? » de donner quelques conseils aux consommateurs. Reformulez comme dans l'exemple.

Exemple : Identifiez vos besoins.
Il est essentiel d'identifier vos besoins. Il est essentiel que vous identifiez vos besoins.
Il faut identifier vos besoins. Il faut que vous identifiez vos besoins.

1. Sachez précisément pourquoi vous avez besoin d'un téléphone mobile.

....

....

....

2. Faites jouer la concurrence.

....

....

3. Prenez connaissance des clauses de résiliation* du contrat.

....

....

....

4. Privilégiez les grands distributeurs.

....

....

....

5. Renseignez-vous sur les garanties et le service après-vente.

....

....

....

6. Demandez les tarifs détaillés et leurs conditions de modification.

....

....

....

7. Lisez le contrat très attentivement.

....

....

8. Après la signature, vérifiez bien toutes vos factures.

....

....

* Note : clauses de résiliation : conditions permettant d'annuler un contrat.

Exercez-vous en situation

1 Les « 4 P » : Prix, produit, place, publicité et promotion

Pour parfaire vos connaissances, vous vous documentez sur les éléments à étudier afin de fixer une politique commerciale efficace. Classez les expressions suivantes dans la bonne colonne.

une gamme – un rayon – une référence – un hypermarché – une gondole – une caisse – une marque – le tarif – une affiche – une dégustation – un bon de réduction – le haut de gamme – un encart – une remise – TTC – une supérette – l'enseigne – la PLV – une ligne – un conditionnement – un publipostage – un commerce en franchise.

Prix	Produit	Place (lieu de vente)	Publicité et Promotion
....	....	....	....
....	....	....	....
....	....	....	....
....	....	....	....
....	....	....	....
....	....	....	....
....	....	....	....

2 La mercatique

Pour atteindre vos objectifs commerciaux, certains paramètres sont à étudier. Faites correspondre.

1. Le circuit de distribution
2. La publicité
3. La promotion des ventes
4. La clientèle et la demande
5. Le produit
6. La concurrence
7. Les relations publiques

a. La production des autres entreprises.
b. L'étude de marché : Qui ? Combien ? L'étude des motivations : Pourquoi ?
c. Nom, caractéristiques, prix...
d. Vente directe, VRP, Internet, VPC, en grandes surfaces...
e. Médias, spots, prospectus, dépliants...
f. Présentoirs, jeux, animations, échantillons...
g. Organisation de colloques, portes ouvertes, parrainage de manifestations sportives ou culturelles...

❸ Analyses du marché

A. Souhaitant ouvrir un magasin d'articles de sport, vous voulez connaître le marché avant de vous implanter. Voici le résultat des études. Lisez le graphique et répondez aux questions en cochant la bonne réponse.

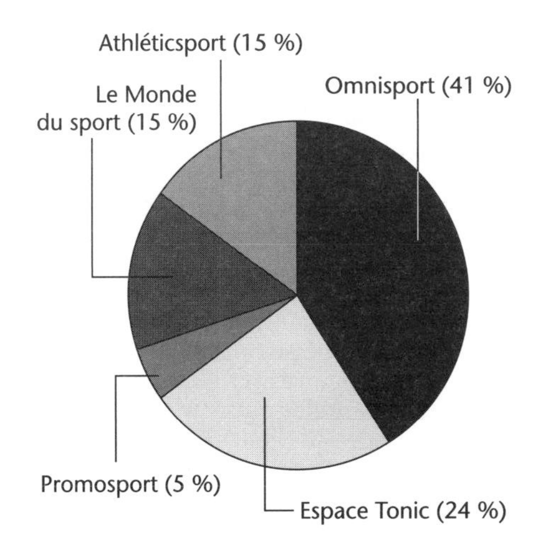

1. Ce graphique nous indique…
   - ☐ **a.** le chiffre d'affaires de la concurrence.
   - ☐ **b.** les parts de marché détenues par la concurrence.
   - ☐ **c.** le volume des ventes par produit.
   - ☐ **d.** l'implantation des enseignes concurrentes.

2. D'après ce graphique…
   - ☐ **a.** *Omnisport* est leader sur le marché.
   - ☐ **b.** *Promosport* et *Athléticsport* détiennent le quart du marché à eux deux.
   - ☐ **c.** C'est *Athléticsport* qui vend le moins.
   - ☐ **d.** Le *Monde du sport* représente le plus gros concurrent.

B. En stage au service marketing des éditions *Hachette Livre*, vous analysez les résultats d'une enquête effectuée sur quatre marchés européens. Lisez les graphiques et répondez aux questions en cochant la bonne réponse.

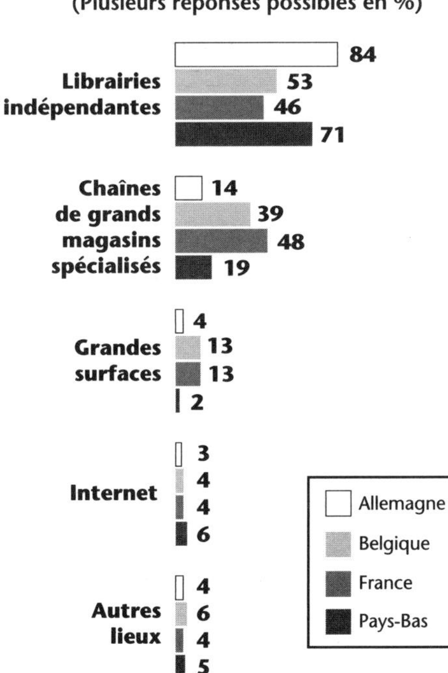

1. Ce graphique indique…
   - ☐ **a.** le nombre de livres vendus par pays.
   - ☐ **b.** le chiffre d'affaires par point de vente.
   - ☐ **c.** la répartition des achats de livres par circuit de distribution.
   - ☐ **d.** les parts de marché par pays.

2. En ce qui concerne les livres, ces chiffres nous informent que…
   - ☐ **a.** les Allemands effectuent principalement leurs achats par Internet.
   - ☐ **b.** tous les acheteurs européens privilégient les librairies indépendantes.
   - ☐ **c.** les Belges préfèrent faire leurs achats en grandes surfaces.
   - ☐ **d.** la fréquentation des grandes surfaces est la même pour les Belges et les Français.

❹ À la recherche de nouveaux clients

Vous recherchez des renseignements concernant des expériences de vente intéressantes. Lisez l'article suivant puis répondez en cochant la bonne réponse.

« Il nous faut chaque année renouveler de 25 à 30 % le capital clients, sinon nous sommes morts », lâche avec franchise Pierre Thérias, directeur de l'entreprise de fabrication de couteaux qui porte son nom (2 600 clients, commande moyenne de 503 euros). Cette affaire familiale, créée à Thiers il y a cent quatre-vingts ans, voit en effet disparaître ses distributeurs traditionnels : les commerçants qui ferment ou qui passent à la concurrence.

Pour remédier à ce tarissement des débouchés, la force de vente de *Thérias l'Économe* – onze VRP exclusifs et deux multicartes – doit prospecter en permanence. Pierre Thérias a évidemment instauré une prime à la création de nouveaux clients. « Et je me bats pour que, lorsqu'un nouveau point de vente ouvre sur une route nationale ou dans une rue du centre-ville, le représentant aille le prospecter, même sans rendez-vous, voire y retourne trois ou quatre fois. » Mais l'objectif de création de nouveaux clients est à portée des représentants. « Vingt à trente nouveaux clients par personne et par an, cela signifie deux à trois par mois. » Pour donner à ses commerciaux davantage d'arguments, Pierre Thérias a racheté *Chantegret*, un fabricant négociant d'articles de cuisine de la région. [...] Élargir la gamme au-delà des couteaux ne permet pas seulement de conquérir une nouvelle catégorie de clientèle : c'est également l'un des meilleurs moyens de conserver l'ancienne en lui proposant des articles plus variés.

D'après *L'Entreprise* – n° 160 – Étienne Gless.

1. L'entreprise doit faire face à...
- ☐ **a.** une diminution de son réseau de distribution.
- ☐ **b.** une baisse des ventes.
- ☐ **c.** un manque de personnel.

2. Pour motiver sa force de vente, l'entrepreneur offre...
- ☐ **a.** un cadeau.
- ☐ **b.** une somme d'argent.
- ☐ **c.** un salaire important.

3. La clientèle est visitée...
- ☐ **a.** uniquement après prospection téléphonique.
- ☐ **b.** par démarchage systématique de clients potentiels.
- ☐ **c.** sur fichier clients.

4. Pour renouveler la clientèle, Pierre Thérias a racheté une entreprise ayant...
- ☐ **a.** une activité complémentaire.
- ☐ **b.** une activité complètement différente.
- ☐ **c.** une activité semblable.

5. Pour la force de vente, les objectifs commerciaux à atteindre sont...
- ☐ **a.** difficiles.
- ☐ **b.** faciles.
- ☐ **c.** impossibles.

⑤ Un séminaire de formation

Lors d'un séminaire de formation aux métiers de la vente, vous analysez des phases d'entretien de vente. Vous allez entendre cinq personnes. Pour chacune d'elles, indiquez l'objet de leur intervention. Choisissez dans la liste et notez la lettre qui correspond à la bonne réponse.

Personne 1 : ...

Personne 2 : ...

Personne 3 : ...

Personne 4 : ...

Personne 5 : ...

A. Reprendre contact.
B. Donner un argumentaire de vente.
C. Informer d'une offre commerciale.
D. Faire une objection.
E. Adresser une documentation.
F. Prendre une commande.
G. Proposer de rappeler.
H. Prendre rendez-vous.

Connaissez-vous l'entreprise ?

Répondez aux questions en cochant la bonne réponse.

1. Vous lancez un nouveau produit sur le marché et vous visez une certaine tranche d'âge de clientèle. Que déterminez-vous ?
- ☐ **a.** Le débouché.
- ☐ **b.** L'audience.
- ☐ **c.** La cible.
- ☐ **d.** Le support.

2. Vous faites une promotion sur des produits que vous présentez sur un grand meuble d'hypermarché. Où placez-vous les articles ?
- ☐ **a.** Sur une gondole.
- ☐ **b.** Sur un plateau.
- ☐ **c.** Dans un chariot.
- ☐ **d.** Sur un comptoir.

3. Vous êtes à la recherche de nouveaux marchés. Que devez-vous faire ?
- ☐ **a.** Sonder.
- ☐ **b.** Positionner.
- ☐ **c.** Traiter.
- ☐ **d.** Prospecter.

4. L'annonce suivante passe à la radio : « *Gymko* lave plus blanc que blanc ». Qu'entendez-vous ?
- ☐ **a.** Une propagande.
- ☐ **b.** Un encart.
- ☐ **c.** Un prospectus.
- ☐ **d.** Un slogan.

5. Sur une courte période, vous voyez en même temps dans différents médias une publicité pour le lancement d'une nouvelle voiture. Quelle est cette opération ?
- ☐ **a.** Une campagne.
- ☐ **b.** Un étalage.
- ☐ **c.** Une démonstration.
- ☐ **d.** Une exposition.

6. Vous espérez que votre offre promotionnelle vous donnera des résultats financiers. Qu'attendez-vous ?
- ☐ **a.** Des retours.
- ☐ **b.** Des renvois.
- ☐ **c.** Des renouvellements.
- ☐ **d.** Des retombées.

pp. 135 à 144

À propos de règlements

Apprenez la langue

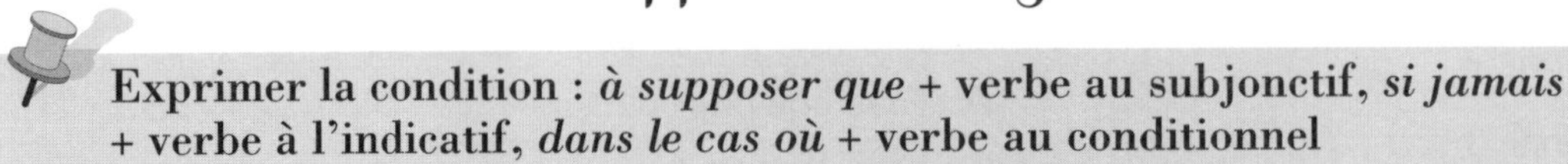

1 Comment procéder avec les mauvais payeurs ?

Vous travaillez au service financier de votre entreprise depuis peu de temps et vous lisez la procédure à mettre en œuvre avec les mauvais payeurs. Complétez avec la forme du verbe qui convient.

À supposer que vous .... *(avoir)* affaire à un mauvais payeur, relancez-le d'abord poliment par téléphone. Si jamais vous .... *(ne pas recevoir)* de réponse, faites une deuxième relance plus « musclée ». Dans le cas où votre démarche .... *(rester)* sans effet, envoyez-lui une lettre de relance polie. Si jamais votre créancier .... *(ne toujours pas réagir)*, envoyez alors une demande écrite ferme : c'est l'heure de la mise en demeure* et si votre client .... *(ne pas se décider)* à payer, vous pouvez faire appel à un huissier de justice*.

* Notes : mise en demeure : exiger de quelqu'un d'exécuter ou non immédiatement un acte ; huissier de justice : officier ministériel chargé de dresser des constats.

2 Faire jouer vos garanties

Vos commerciaux disposent d'une carte bancaire entreprise pour leurs déplacements à l'étranger. Avec cette carte, ils bénéficient de garanties supplémentaires. Reformulez comme dans l'exemple.

Exemple : Perte ou vol de vos cartes ou papiers d'identité : contact service d'opposition.
→ Dans le cas où vous perdriez ou on vous volerait vos cartes ou papiers d'identité, contactez votre service d'opposition. Si jamais vous perdez ou on vous vole vos cartes ou papiers d'identité, contactez votre service d'opposition.

1. Utilisation frauduleuse de votre chéquier ou de votre carte avant opposition* : contact agence bancaire.

....

....

2. Vol ou détérioration* d'un objet payé avec votre carte : contact agence bancaire.

....

....

3. Maladie ou blessure en France ou à l'étranger : contact service assistance.

....

....

4. Questions d'ordre juridique, administratif ou social relevant de la vie privée ou salariée : contact service information.

....

....

* Notes : opposition : demande d'arrêt de paiement par le débiteur à sa banque ; détérioration : action d'endommager.

Exprimer une contrainte – Informer des conditions de paiement

3 Une mise en demeure

Retrouvez la chronologie des différents paragraphes de cette lettre. Notez la lettre qui correspond à la bonne réponse.

Société
Méditerranéenne
de mécanique

15, La Canebière – 13001 Marseille

Monsieur Martin Legal
Société ARVEX
16, rue du Prieuré
30000 Nîmes

Objet : mise en demeure

Marseille, le 17 mai…

Monsieur,

A. Cette facture devait être réglée le 30 mars ainsi que l'attestent votre bon de commande 1 521 du 29 février… et le bon de livraison 231 du 11 mars… dûment signés par vous.

B. Nous vous prions d'agréer, Monsieur, l'expression de nos salutations distinguées.

C. Notre facture 1 234 du 15 mars… reste à ce jour impayée malgré nos relances téléphoniques des 8, 14 et 20 avril au cours desquelles vous vous étiez engagé à résoudre immédiatement ce problème. Notre courrier du 28 avril est également resté sans réponse de votre part.

D. Passé huit jours à compter de la première présentation de la présente, nous nous verrons contraints de recouvrer* cette créance par voie judiciaire.

E. Nous vous mettons en demeure de nous régler sous huitaine la somme de 15 000 euros TTC, y compris les intérêts de retard prévus dans nos conditions générales de vente.

Gérant

M.A.

Marc Allegrin

* Note : recouvrer : se faire rembourser.

1 : .... 2 : .... 3 : .... 4 : .... 5 : ....

Exercez-vous en situation

❶ Un peu de comptabilité

Vous travaillez au service de la comptabilité et vous enregistrez les opérations de débit et de crédit. Notez les montants dans la bonne colonne puis cochez la bonne réponse.

Opérations	Débit (–)	Crédit (+)
Solde précédent		10 000 €
Virement des salaires (18 000 €)		
Prélèvement facture *France Telecom* (450 €)		
Encaissement chèques (9 950 €)		
Paiement traite fournisseur (400 €)		
Retrait d'espèces (300 €)		
Solde		

Le solde du compte est :

☐ débiteur

☐ créditeur

❷ Des factures à établir

Vous devez établir des factures. Lisez les différents types de facture et indiquez, pour chaque client, quel type de facture vous établissez. Notez la lettre qui correspond à la bonne réponse.

1. La société *Cartoit* a passé huit commandes d'un faible montant. Elle a l'habitude de régler l'ensemble de ses achats en fin de mois.
2. Votre société exporte des articles de maroquinerie de fabrication française au Japon.
3. Monsieur Renault a acheté un bloc de papier et une cartouche d'encre pour son imprimante.
4. Un client, l'entreprise *Prenca,* aimerait savoir quel sera le montant d'un achat de 1 000 pièces détachées.
5. La maison *Gassan* vous informe que vous avez omis de déduire la remise de 10 % sur la dernière facture que vous lui avez adressée.
6. La librairie *Merlin* achète cinquante manuels *Affaires à suivre.*

A. La facture simple ou de doit : elle indique à l'acheteur ce qu'il doit payer.

B. La note : d'un faible montant, elle est établie pour des dépenses courantes (fournitures, hôtel…).

C. La facture pro-forma : elle est destinée à faire connaître à l'avance le montant d'un achat, elle précède la vente.

D. La facture consulaire : elle est utilisée dans le commerce extérieur et visée par le consulat du pays destinataire, elle certifie l'origine et la valeur des marchandises.

E. La facture d'avoir : elle est établie lorsqu'un fournisseur a une dette envers le client (retour de marchandises, rectification d'une erreur, remise oubliée, retour d'emballages consignés…).

F. Le relevé de factures : il est établi lorsqu'un règlement global des factures est convenu, en fin de mois, par exemple.

1 : ………… 2 : ………… 3 : …………

4 : ………… 5 : ………… 6 : …………

❸ Payer au comptant

A. Connaissez-vous ces différents types de chèque ? Faites correspondre chacun des cas suivants avec le type de chèque qui convient.

1. Vous venez d'acheter une voiture. Le concessionnaire exige que vous le régliez par un chèque émis par votre banque afin d'être sûr que le montant soit débité de votre compte.
2. Un client vient de vous régler par chèque. Il vous est retourné impayé par votre banque. Quel escroc !
3. Quelle chance ! Pour votre anniversaire, on vous remet un chèque signé où ni le nom du bénéficiaire ni le montant ne sont indiqués.
4. Votre vendeur souhaite être assuré que votre compte est bien approvisionné. Votre banquier va en garantir le paiement en bloquant le montant pendant un délai de huit jours.
5. Vous préférez utiliser ce type de chèque car, en cas de perte, il ne peut être encaissé que par une banque.

a. Chèque barré

b. Chèque en blanc

c. Chèque sans provision (dit « chèque en bois »)

d. Chèque certifié

e. Chèque de banque

B. Vous êtes stagiaire au service communication de votre entreprise. M. Hervé, le responsable, vous demande de vérifier que l'avis de prélèvement ci-dessous est bien rempli. Lisez le document et cochez la bonne réponse.

AUTORISATION DE PRELEVEMENT AUTOMATIQUE

À renvoyer avec votre bon de réabonnement.

1 *Inscrivez vos nom, prénom et adresse complète.*

2 *Indiquez les coordonnées de votre relevé d'identité bancaire ou postal.*

3 *Indiquez le nom et l'adresse complète de votre établissement bancaire et joignez à ce bon votre R.I.B. ou R.I.P.*

4 *Datez et signez*

J'autorise l'établissement teneur de mon compte à prélever tous les 3 mois sur ce dernier le montant des avis de prélèvements établis à mon nom qui seront présentés par L'Entreprise.

N° NATIONAL D'EMETTEUR : 427 106

ORGANISME CREANCIER
L'ENTREPRISE
14, Bd Poissonnière - 75308 Paris Cedex 09

N.B. : Je vous demande de faire apparaître les prélèvements sur mes extraits de compte habituels.

1 TITULAIRE DU COMPTE A DEBITER

Nom HERVÉ Prénom CHRISTIAN
Adresse 12 RUE DEJEAN Code postal 75018
Ville PARIS

2 DESIGNATION DU COMPTE A DEBITER

Code Ets. 03550 Guichet 3520
N° de cpt. 00040254142 Clé R.I.B. 54

3 ETABLISSEMENT TENEUR DU COMPTE A DEBITER

Etablissement SOCIETE GENERALE
Adresse 189 RUE CONVENTION Code postal 75015
Ville PARIS

4 DATE ET SIGNATURE OBLIGATOIRES

Date : 18.10.02 Signature : C. Hervé

☐ **a.** Le règlement s'effectue mensuellement.

☐ **b.** Le journal *L'Entreprise* a un compte à la *Société Générale.*

☐ **c.** M. Hervé s'est abonné au journal *L'Entreprise.*

☐ **d.** M. Hervé doit joindre un chèque bancaire.

4 Des problèmes de paiement

À la suite de problèmes avec le logiciel de traitement de texte, vous êtes chargé(e) de relire la lettre suivante. Lisez-la et complétez-la en choisissant le groupe de mots qui convient dans la liste.

> Messieurs,
>
> Nous regrettons vivement d'avoir à vous informer que .... **(1)**.
>
> Nos stocks ont été endommagés par un très gros orage et ....**(2)**.
> Nous nous trouvons donc actuellement dans une situation difficile.
>
> Nous vous serions très reconnaissants de bien vouloir .... **(3)**.
> Nous espérons qu'étant donné le caractère exceptionnel de la demande et notre ponctualité habituelle, ... **(4)**.
>
> Nous en vous remercions par avance et nous vous prions d'agréer, Messieurs, nos salutations distinguées.
>
> Paolo Moranti

a. nous accorder un délai supplémentaire de paiement d'un mois

b. nous nous engageons à respecter nos engagements

c. nous sommes dans l'impossibilité de faire face au paiement de votre traite à échéance du 30 février

d. il vous sera possible de nous répondre favorablement

e. nous devons renouveler une partie de nos marchandises

f. compter sur un règlement à cette date

5 Une réclamation par téléphone

Vous allez entendre un entretien téléphonique. Répondez aux questions en cochant la bonne réponse.

1. Quel est le numéro de la facture ?

- ☐ **a.** 172.
- ☐ **b.** 589.
- ☐ **c.** 623.
- ☐ **d.** 790.

2. Sur quel élément porte la réclamation ?

- ☐ **a.** La date de paiement.
- ☐ **b.** Une réduction.
- ☐ **c.** Le nombre d'articles facturés.
- ☐ **d.** Le prix des articles.

3. Quelle est la suite donnée à l'appel ?

- ☐ a. L'envoi d'une nouvelle facture.
- ☐ b. Le paiement au comptant de la facture.
- ☐ c. La déduction d'une réduction de 5 %.
- ☐ d. Le refus d'un délai de paiement.

Connaissez-vous l'entreprise ?

Répondez aux questions en cochant la bonne réponse.

1. Vous avez commandé 15 meubles de rangement mobiles à trois tiroirs ; or vous avez reçu 15 meubles de rangement mobiles à quatre tiroirs. Vous acceptez de garder les articles à condition qu'on vous accorde une réduction. Que demandez-vous ?
   - ☐ **a.** Un escompte.
   - ☐ **b.** Une remise.
   - ☐ **c.** Un rabais.
   - ☐ **d.** Une ristourne.

2. Malgré trois rappels de paiement, un client ne vous a toujours pas réglé. À quel service transmettez-vous son dossier pour le recouvrement de la créance ?
   - ☐ **a.** Au service des ventes.
   - ☐ **b.** Au service du contentieux.
   - ☐ **c.** Au service de facturation.
   - ☐ **d.** Au service du personnel.

3. Vous rencontrez des difficultés passagères de trésorerie. Que demandez-vous à votre fournisseur ?
   - ☐ **a.** Un retard de paiement.
   - ☐ **b.** Un dédommagement.
   - ☐ **c.** Une facturation.
   - ☐ **d.** Un report d'échéance.

4. Vous envisagez d'effectuer des travaux de rénovation dans votre magasin et vous souhaitez avoir une estimation du montant des travaux. Que demandez-vous à l'entrepreneur ?
   - ☐ **a.** Un devis.
   - ☐ **b.** Une facture.
   - ☐ **c.** Un budget.
   - ☐ **d.** Un relevé de compte.

5. Les conditions de paiement stipulent qu'un premier versement doit être effectué à la commande. Que demandez-vous à votre client ?
   - ☐ **a.** Une indemnité.
   - ☐ **b.** Un escompte.
   - ☐ **c.** Un acompte.
   - ☐ **d.** Un crédit.

6. Votre salaire est payé par un transfert de fonds du compte de votre employeur sur votre compte bancaire. Quelle est cette opération ?
   - ☐ **a.** Un prélèvement automatique.
   - ☐ **b.** Un versement bancaire.
   - ☐ **c.** Un encaissement.
   - ☐ **d.** Un virement.

Importer et exporter

Apprenez la langue

Exprimer une idée d'opposition, de concession

1 Qui va remporter l'Oscar de l'exportation ?

Un journaliste a évalué les chances de quelques sociétés en compétition. Complétez en utilisant les termes d'opposition et/ou de concession qui conviennent.

1. .... une stratégie commerciale agressive, je doute que la société *Fergem* puisse être élue ; en effet, son chiffre d'affaires n'a pas beaucoup évolué ce dernier trimestre.
2. Dans le secteur de l'agroalimentaire, deux candidats sont en bonne position : l'entreprise *Marron glacé* et la société *Délicatable.* La première propose des produits de confiserie .... la seconde fabrique des plats cuisinés de luxe.
3. La société *Modactu* est très implantée auprès des boutiques franchisées des principales capitales du monde .... elle n'a pas encore exploité le créneau de la grande distribution.
4. .... elle ait déjà emporté le Prix de l'innovation, l'entreprise *Cinéstar* demeure le plus grand favori pour l'Oscar de l'exportation.
5. .... très implantée partout dans le monde, la jeune et dynamique société de mobilier *Armoirex* rencontre actuellement quelques difficultés : une longue grève des transporteurs a lourdement affecté son exercice.
6. .... les résultats, toutes les entreprises qui auront concouru pour l'Oscar de l'exportation bénéficieront d'une large couverture médiatique, et tant mieux pour elles !

Exprimer des fluctuations

2 Un monde en mouvement

A. Lisez ces différents commentaires et classez-les dans le tableau ci-contre.

1. Il y a une croissance de notre chiffre d'affaires.
2. Il y a une aggravation de la situation.

3. La situation s'améliore.
4. Notre chiffre d'affaires est en chute.
5. Notre chiffre d'affaires va en augmentant.
6. Il n'y a pas d'évolution de notre chiffre d'affaires.
7. Il y a une amélioration de la situation.
8. La situation demeure inchangée.
9. Il y a une progression de notre chiffre d'affaires.
10. La situation va en empirant.
11. Notre chiffre d'affaires progresse.
12. La situation s'aggrave.
13. Notre chiffre d'affaires est en baisse.
14. Il y a une stagnation de notre chiffre d'affaires.
15. Notre chiffre d'affaires diminue.

	Exprimer une évolution	
	Quantitative	Qualitative
↗	....	....
↘	....	....

	Exprimer un non-changement	
	Quantitatif	Qualitatif
→	....	....
	....	....

B. Pour parler de ces différentes évolutions, quatre structures ont été utilisées :
– *Il y a* + nom spécifique : *il y a une hausse…*
– *Être* + *en* + nom spécifique : *il/elle est en diminution*
– Verbes spécifiques : *diminuer/augmenter*
– *Aller* + verbe spécifique au gérondif : *elle va en diminuant.*

Formulez pour chacune de ces structures d'autres exemples d'usage en commentant les graphiques suivants à l'écrit :

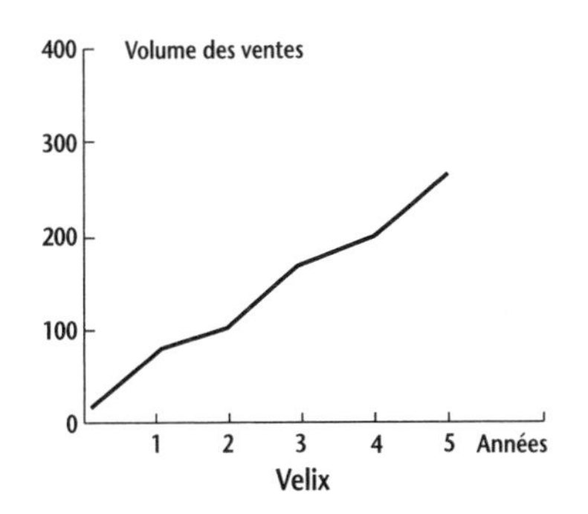

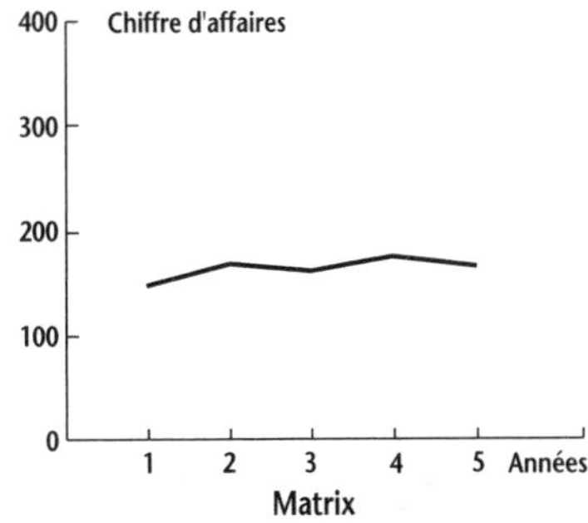

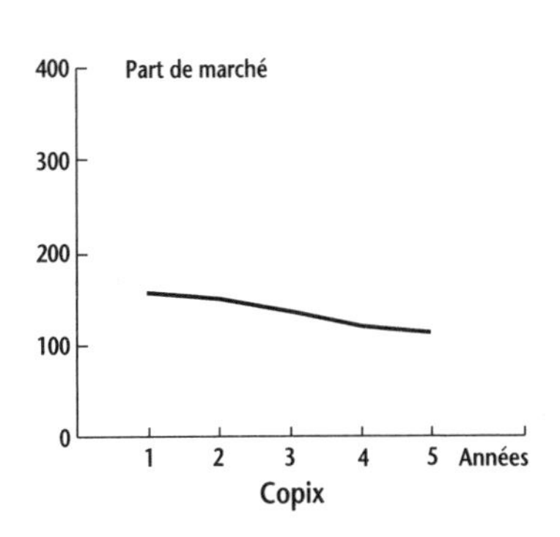

Exercez-vous en situation

❶ Internet : un bon outil pour l'exportateur

Intéressé(e) par l'utilisation d'Internet dans le cadre de l'exportation, vous lisez le texte ci-dessous. Indiquez si les affirmations données sont vraies ou fausses. Si les informations données sont insuffisantes pour répondre vrai ou faux, cochez la case « Non précisé ».

À qui cette petite entreprise de la campagne toulousaine peut-elle bien vendre ses tomettes* en terre cuite ? Au monde entier, évidemment !

La tuilerie-briqueterie *Barthe* n'a rien renié de sa culture artisanale transmise de père en fils depuis sept générations. Mais le respect de la tradition n'empêche pas le progrès. Lorsque Pierre-Olivier Barthe, une maîtrise de sciences économiques en poche, est revenu, en 1996, assister son père et son oncle dans la gestion de l'entreprise, il les a convaincus de lui laisser carte blanche pour créer un site Internet.

[...] Il met au point un site de plus d'une centaine de pages, traduit en anglais et en allemand. Après avoir consulté la présentation exhaustive des produits de l'entreprise, le visiteur peut se plonger dans les détails de la fabrication des tomettes, depuis l'extraction et la sélection des argiles jusqu'à la cuisson des carreaux.

Depuis le lancement du site, [...] l'entreprise a décroché de nouveaux marchés aux États-Unis, en Allemagne et au Japon auprès d'un public varié de particuliers, d'entreprises et d'architectes. « Certains mois, Internet représente jusqu'à 20 % du chiffre d'affaires » estime Pierre-Olivier Barthe, même s'il reconnaît que l'impact de la création du site Web sur les exportations est difficile à mesurer précisément. « Notre chiffre d'affaires a augmenté de 21 % [...] mais Internet n'explique pas à lui seul ce dynamisme. Nous avons bénéficié de la reprise du bâtiment et d'un effort publicitaire accru », précise-t-il.

Il faut croire que les résultats sont assez encourageants car Pierre-Olivier Barthe consacre aujourd'hui 15 245 euros à améliorer son site.

D'après *L'Entreprise* – n° 173 – Rémi Vallet.

*Note : tomette : brique de carrelage de couleur rouge.

1. L'entreprise *Barthe* est implantée dans une grande ville.

☐ **a.** Vrai ☐ **b.** Faux ☐ **c.** Non précisé

2. L'entreprise *Barthe* est une entreprise familiale.

☐ **a.** Vrai ☐ **b.** Faux ☐ **c.** Non précisé

3. Le site propose trois versions en langue étrangère.

☐ **a.** Vrai ☐ **b.** Faux ☐ **c.** Non précisé

4. La clientèle est uniquement constituée de professionnels.

☐ **a.** Vrai ☐ **b.** Faux ☐ **c.** Non précisé

5. Les clients peuvent demander des informations grâce à une adresse e-mail.

☐ **a.** Vrai ☐ **b.** Faux ☐ **c.** Non précisé

6. Les investissements publicitaires ont été en augmentation.

☐ **a.** Vrai ☐ **b.** Faux ☐ **c.** Non précisé

❷ Les conditions de transport à l'exportation : les incoterms

Afin d'éviter des litiges lors d'une opération d'import-export, la *Chambre de commerce internationale* a élaboré les incoterms, qui précisent le transfert des risques, c'est-à-dire le moment et le lieu à partir desquels l'acheteur assume les risques encourus par la marchandise et le partage des frais de logistique (le fret).

Indiquez à quel cas fait référence chaque incoterm. Notez la lettre qui correspond à la bonne réponse.

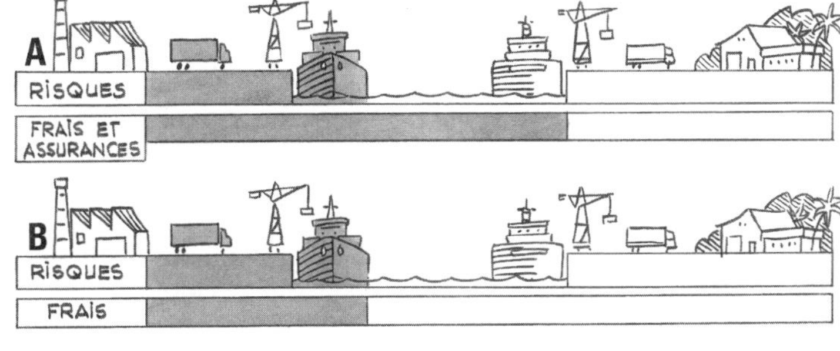

CAF : coût, assurance, fret (CIF)

FAB : franco à bord (FOB).

CFR : coût et fret (CFR).

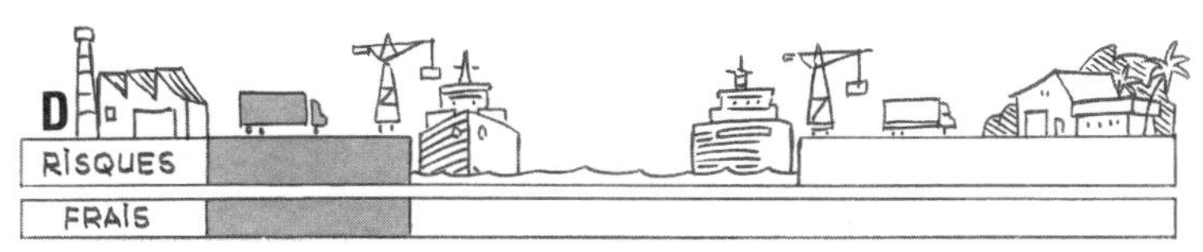

FLB : franco le long du bateau (FAS).

1. Le vendeur livre les marchandises le long du quai au port d'embarquement : ...
2. Les frais de transport sont pris en charge par le vendeur jusqu'au quai d'arrivée : ...
3. Le vendeur livre les marchandises à bord du navire et paye les frais de chargement : ...
4. Outre les frais de transport jusqu'à la destination convenue, le vendeur a l'obligation de souscrire une assurance : ...

❸ Exporter : mode d'emploi

Exporter ne s'improvise pas. Vous vous posez cinq questions sur les modalités de vente à l'export. Afin de trouver des réponses à vos questions, vous lisez le *Guide du nouvel exportateur* édité par la *Chambre de Commerce et d'Industrie de Bordeaux*.

Indiquez dans quel paragraphe se trouve la réponse à chacune de vos cinq questions. Notez la lettre qui correspond à la bonne réponse.

1. Quelles sont les formalités à accomplir lors d'une vente ou d'un achat à l'étranger ?
2. Comment dois-je procéder pour le transport de ma marchandise ?
3. Que dois-je prendre en compte dans la fixation de mon prix ?
4. Quels sont les moyens de paiement d'une vente à l'international ?
5. Est-il nécessaire d'établir un contrat pour une vente à l'étranger et quelle forme doit-il prendre ?

A. Par chèque, lettre de change, billet à ordre, mandat poste ou virement Swift (virement sécurisé par les banques). Mais le moyen le plus sûr est le crédit documentaire car la banque de l'acheteur s'engage vis-à-vis du vendeur.

B. Le coût de revient du produit à la sortie de l'entrepôt, le coût des droits et taxes douanières, le coût du transport, si vous avez la charge d'une partie ou de la totalité du transport. Il existe des indicateurs uniformisés, les incoterms, permettant de connaître la limite de la prise en charge des frais et des risques par le vendeur et l'acheteur.

C. Toute circulation de biens nécessite des documents d'accompagnement et des procédures à suivre : fourniture de documents officiels, remplissage de documents douaniers et paiement des taxes et droits de douane. Il est préférable de faire appel à un intermédiaire spécialisé, soit à un commissionnaire agréé en douane soit à un transitaire, par exemple.

D. Dans la plupart des cas, la notification des conditions générales de vente à l'export de l'entreprise française suffit, car elles contiennent les informations indispensables à toute vente à l'étranger : la loi applicable, la devise de paiement, le mode de paiement… Il est toutefois utile de recourir à un consultant juridique spécialisé dans le droit des affaires internationales.

E. Vous devez choisir un transitaire qui effectuera pour vous les opérations suivantes : acheminement de la marchandise, formalités douanières, chargement et déchargement de la marchandise…

Réponses : 1 : .... **2 :** .... **3 :** .... **4 :** .... **5 :** ....

4 Le crédit documentaire

Une entreprise française veut exporter au Brésil et demande des informations auprès de sa banque. Écoutez le dialogue et complétez le schéma de fonctionnement du crédit documentaire en choisissant la lettre qui convient.

A. Le banquier de l'importateur remet les documents à l'acheteur qui le rembourse.

B. L'importateur demande l'ouverture d'un crédit documentaire à son banquier.

C. L'acheteur remet les documents au transporteur contre remise des marchandises.

D. Le banquier de l'exportateur adresse les documents au banquier de l'acheteur.

E. L'exportateur remet les documents à sa banque qui les vérifie et le paie.

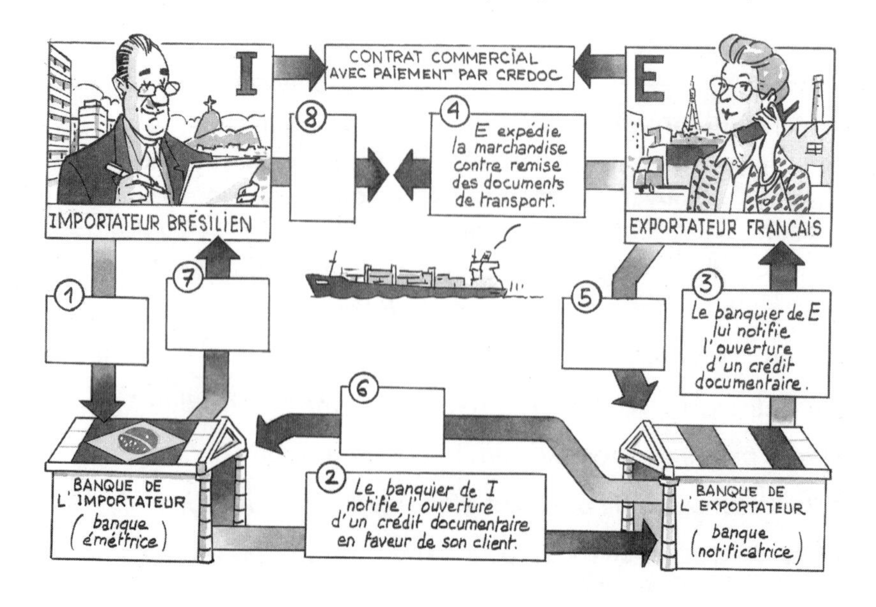

5 S'implanter sur des marchés étrangers

Vous allez entendre les conseils donnés par cinq spécialistes du commerce international pour s'implanter sur un marché étranger. Pour chacun d'eux, indiquez à quel objet il fait référence. Choisissez dans la liste et notez la lettre qui correspond à la bonne réponse.

Personne 1 : …
Personne 2 : …
Personne 3 : …
Personne 4 : …
Personne 5 : …

A. Participer à une manifestation commerciale.
B. Régler les problèmes douaniers.
C. Organiser le voyage de prospection.
D. Choisir son circuit de distribution.
E. Définir les modalités d'expédition.
F. Réduire les risques financiers.
G. Adapter ses produits.
H. Réduire les coûts.

Connaissez-vous l'entreprise ?

Répondez aux questions en cochant la bonne réponse.

1. L'entreprise de production dans laquelle vous travaillez confie une partie du travail à une autre entreprise. À qui fait-elle appel ?

☐ **a.** À un souscripteur.
☐ **b.** À un revendeur.
☐ **c.** À un consultant.
☐ **d.** À un sous-traitant.

2. Vous rénovez vos locaux et vous recherchez un fournisseur pour l'achat de meubles de bureau. Qu'allez-vous lancer ?

☐ **a.** Une offre.
☐ **b.** Un ordre.
☐ **c.** Un appel d'offres.
☐ **d.** Une campagne publicitaire.

3. Lors de la réception des colis, vous constatez que des marchandises sont endommagées. Que formulez-vous sur le bon de livraison ?

☐ **a.** Des réserves.
☐ **b.** Des inconvénients.
☐ **c.** Des plaintes.
☐ **d.** Des provisions.

4. La marchandise qui vous a été livrée a subi un dommage au cours du transport. De quoi s'agit-il ?

☐ **a.** D'un accident.
☐ **b.** D'une avarie.
☐ **c.** D'un désordre.
☐ **d.** D'une panne.

5. Avant d'exporter des produits en France, vous vous renseignez afin de savoir si l'importation de certains d'entre eux n'est pas limitée quantitativement. Quelle est cette réglementation douanière ?

☐ **a.** Une compensation.
☐ **b.** Une convention.
☐ **c.** Une réserve.
☐ **d.** Un contingentement.

6. Vous souhaitez exporter des produits. Mais certains d'entre eux doivent être conformes aux règles en vigueur dans le pays d'importation. Que devez-vous respecter ?

☐ **a.** Les normes.
☐ **b.** Les principes.
☐ **c.** Les modèles.
☐ **d.** Les inscriptions.

Des manifestations commerciales

Apprenez la langue

Exprimer la cause + idée de continuité dans l'effort : *à force de* + nom ou verbe à l'infinitif

1 La persévérance est récompensée

M. Latut participe depuis de nombreuses années à des Salons et fait le point.
Reformulez comme dans l'exemple.

Exemple : Nous avons réussi à obtenir le même emplacement pour notre stand/insister.
→ Nous avons réussi à obtenir le même emplacement pour notre stand à force d'insister.*
Nous avons réussi à obtenir le même emplacement pour notre stand/insistance.
→ À force d'insistance, nous avons réussi à obtenir le même emplacement pour notre stand.

1. Notre chiffre d'affaires a doublé en trois ans/être présents dans tous les grands salons professionnels.

   ....

2. Multiplier les contacts sur notre stand avec la clientèle étrangère à l'occasion des manifestations commerciales/nos ventes à l'exportation ont fortement progressé.

   ....

3. Voir et comparer les différents modèles concurrents exposés/nous avons pu arrêter notre choix sur une marque.

   ....

4. Nous parvenons à lier des contacts avec des acheteurs potentiels/discuter avec les gens.

   ....

5. Persuasion/nos commerciaux ont réalisé un formidable travail lors du dernier Salon.

   ....

6. Nous sommes au courant de toutes les innovations/fréquenter les salons professionnels.

   ....

7. Volonté et travail/*Exposium* est devenu l'un des premiers organisateurs de salons professionnels.

   ....

* Note : la proposition *à force d'insister* peut être située indépendamment en début ou en fin de phrase.

2 Différents moyens

A. Pour chaque phrase, dites de quel Salon il est question. Notez la lettre qui correspond à la bonne réponse.

A. Le Salon du chocolat
B. Le Mondial du tourisme
C. Le Salon du prêt-à-porter
D. Le Salon de l'agriculture
E. *Expolangues* : le Salon des langues
F. Le Salon international d'art contemporain
G. Le Salon du livre
H. Le Salon nautique
I. Le Salon des caves des particuliers

1. Plus de soixante-quinze auteurs étaient présents pour dédicacer* leur ouvrage, ce qui a entraîné de longues files d'attente : ....
2. Les voyages sont à la mode et, avec les 35 heures, les Français ont désormais plus de temps libre ; c'est pourquoi ce Salon attire un nombre de plus en plus important de visiteurs : ....
3. Chaque année y sont exposées les œuvres des artistes contemporains les plus talentueux. C'est la raison pour laquelle se côtoient aussi bien les plus grands marchands que les amateurs éclairés : ....
4. Ce Salon offre une large sélection allant des crus les plus modestes aux crus les plus prestigieux, alors pourquoi ne pas en profiter ? : ....
5. Suivre la mode est une chose importante dans notre société, on ne s'étonnera donc pas du succès grandissant remporté par ce Salon : ....
6. On propose tellement de méthodes d'apprentissage, tellement d'écoles qu'il est difficile de faire son choix : ....
7. Bien que le secteur soit en difficulté, cet événement suscite toujours l'enthousiasme de milliers de visiteurs, preuve que nous chérissons toujours autant nos campagnes : ....
8. Sur place, la dégustation est gratuite, si bien que vous risquez de ne plus avoir envie d'aller chez le pâtissier après la visite : ....
9. De plus en plus de particuliers rêvent de posséder un bateau de plaisance, d'où un taux de fréquentation de plus en plus élevé à ce Salon : ....

* Note : dédicacer : porter une signature sur un livre (auteur…).

B. Relisez chacune des phrases et soulignez le terme utilisé pour exprimer la conséquence.

C. Proposez pour chaque phrase une autre façon de formuler la conséquence.

Exercez-vous en situation

1 Une manifestation internationale

Voici un inventaire chronologique des différentes tâches que vous devez accomplir pour préparer une manifestation internationale.

A. Faites correspondre.

1. Louer	**a.** à exposer.
2. Sélectionner un décorateur	**b.** devant animer le stand.
3. Faire la liste des prospects	**c.** les réservations de train et d'avion.
4. Préparer le matériel	**d.** un emplacement au Salon.
5. Lancer un appel d'offres	**e.** pour la conception du stand.
6. Effectuer	**f.** annonçant la participation de l'entreprise.
7. S'occuper	**g.** une dernière réunion avec les commerciaux.
8. Traduire	**h.** de l'hébergement.
9. Choisir le personnel	**i.** d'invitation et les badges.
10. Commander les cartons	**j.** la documentation destinée aux clients étrangers.
11. Envoyer un publipostage	**k.** le matériel sur le stand.
12. Mettre en place	**l.** à inviter.
13. Organiser	**m.** auprès d'installateurs de stand.

B. Classez ces tâches en les regroupant selon les rubriques suivantes.

Emplacement : .... Produits : .... Personnel : ....

Logistique : .... Communication : ....

2 Règlement de l'exposition

Vous allez participer à un Salon et vous avez reçu le règlement général de l'exposition. Lisez l'extrait ci-dessous et répondez à la question en cochant la bonne réponse.

1. Date et lieu de l'exposition

Du mardi 13 au jeudi 15 novembre au parc des Expositions de Montpellier

2. Horaires d'ouverture

Exposants : de 8 h 00 à 19 h 00 – Visiteurs : 8 h 30 à 18 h 00

3. Stands

Les exposants pourront prendre possession de leur emplacement à partir du vendredi 9 novembre 7 heures pour les stands nus, à partir du samedi 10 novembre à 7 heures pour les stands équipés et clés en main.

Les installations devront être terminées le lundi 12 novembre à 23 heures, veille de l'ouverture du Salon.

De combien de temps disposeront les exposants pour installer leur stand ?

☐ **a.** 48 heures pour tous les stands.

☐ **b.** Deux jours pour les stands complètements agencés.

☐ **c.** Quatre jours pour les stands non aménagés.

☐ **d.** D'une semaine dans tous les cas.

3 Participer à un Salon international en France

Souhaitant participer à un Salon international en France, l'article suivant a retenu votre attention. Lisez-le et complétez le texte en choisissant le mot qui convient dans la liste.

De nombreux salons professionnels attirent les visiteurs étrangers. Sur ces salons, les entreprises cherchent de nouvelles parts de marché, surveillent la .... **(1)**, recrutent les partenaires commerciaux, ... **(2)** leurs clients, américains ou japonais…

Certaines précautions s'imposent. Tout d'abord, il est nécessaire de se renseigner sur le profil des visiteurs en fonction du créneau de l'entreprise : quel est le pourcentage d'Italiens, de Grecs, de Néerlandais et combien d'acheteurs, de commerciaux, de techniciens… ? Cela permet de mettre au point une communication .... **(3)** dans la langue du pays visé : plaquettes, panneaux, dossiers de presse. Il faut aussi prévoir des .... **(4)** avec vos coordonnées, le recto en français et le verso dans la langue du pays ou en anglais.

Pendant le Salon, vous devez .... **(5)** vos produits en tenant compte de la culture des visiteurs étrangers et animer votre stand avec des concours, des distributions de cadeaux, une vidéo sur vos produits dans la langue de votre public cible.

Après le Salon, assurez le .... **(6)** : remerciez le visiteur allemand ou mexicain et surtout envoyez la documentation promise. C'est rarement sur le Salon lui-même que les contrats sont signés. Publipostage, propositions commerciales ciblées, la liste des .... **(7)** contactés lors du Salon devient une base d'actions commerciales à moyen terme.

	a.	b.	c.	d.
1.	**a.** concurrence	**b.** prévision	**c.** réservation	**d.** compétition
2.	**a.** commercialisent	**b.** collaborent	**c.** fidélisent	**d.** collectionnent
3.	**a.** ciblée	**b.** prompte	**c.** significative	**d.** rectificative
4.	**a.** fiches de visite	**b.** itinéraires	**c.** cartes de visite	**d.** badges
5.	**a.** exposer	**b.** réclamer	**c.** maintenir	**d.** livrer
6.	**a.** code	**b.** compte rendu	**c.** suivi	**d.** critère
7.	**a.** prospects	**b.** candidats	**c.** collègues	**d.** personnels

❹ Les manifestations commerciales en France

À la recherche d'informations sur les manifestations commerciales en France, la fédération Foires et Salons de France vous a adressé le document suivant. Lisez-le et répondez en cochant la bonne réponse.

Quel budget ?

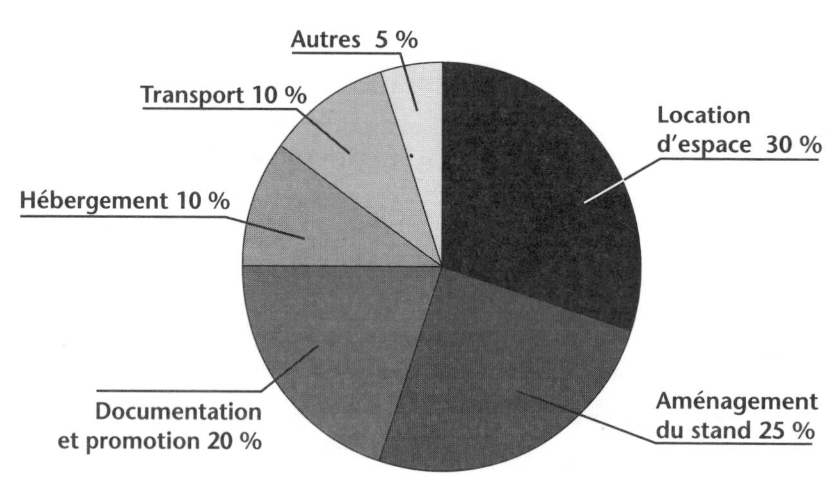

D'après *Foires et Salons de France*, 1999.

Ce document nous donne…

☐ **a.** le pourcentage d'exposants par secteur.
☐ **b.** les postes de recettes des organisateurs de Salons.
☐ **c.** les parts de marché des manifestations commerciales en France.
☐ **d.** la répartition des dépenses moyennes des exposants.

❺ Un Salon bien préparé

Vous allez entendre l'interview diffusée à la radio de la responsable marketing déléguée Salons d'un grand éditeur. Répondez aux questions en cochant la bonne réponse.

1. De quelle manifestation commerciale s'agit-il ?
☐ **a.** Du Salon du livre.
☐ **b.** De la semaine des éditeurs.
☐ **c.** De la Foire du livre de Francfort.
☐ **d.** Du Salon du marketing.

2. Quelle est la superficie occupée par l'entreprise ?
☐ **a.** 520 m^2.
☐ **b.** 550 m^2.
☐ **c.** 720 m^2.
☐ **d.** 750 m^2.

3. Qui choisit l'aménagement du stand ?
☐ **a.** La responsable du marketing.
☐ **b.** Le décorateur.
☐ **c.** Chaque éditeur.
☐ **d.** Le président-directeur général.

4. Quel sera l'événement du prochain Salon ?
☐ **a.** Un concours pour les enfants.
☐ **b.** Un grand jeu destiné au public.
☐ **c.** La dédicace d'auteurs.
☐ **d.** La présence de héros de la littérature enfantine.

6 Réussir son Salon

Cinq spécialistes vous donnent des conseils pour bien réussir votre Salon. Pour chacun d'eux, indiquez leur objectif. Choisissez dans la liste et notez la lettre qui correspond à la bonne réponse.

Personne 1 : …
Personne 2 : …
Personne 3 : …
Personne 4 : …
Personne 5 : …

A. Choisir le Salon.
B. Réussir le publipostage.
C. Constituer un fichier clients.
D. Choisir le personnel.
E. Établir le budget.
F. Sélectionner l'emplacement.
G. Contacter de nouveaux fournisseurs.
H. Promouvoir les nouveautés.

Connaissez-vous l'entreprise ?

Répondez aux questions en cochant la bonne réponse.

1. Vous vous rendez dans un Salon français muni d'un carton d'invitation et vous voulez savoir où est situé l'emplacement indiqué. Vous demandez où se trouve…

☐ **a.** Le département.
☐ **b.** Le service.
☐ **c.** Le site.
☐ **d.** Le stand.

2. L'emplacement que vous avez réservé au Salon fait 15 m^2. De quoi s'agit-il ?

☐ **a.** Du volume.
☐ **b.** De la valeur.
☐ **c.** De la forme.
☐ **d.** De la superficie.

3. Vous venez de remplir le dossier d'inscription pour participer à un Salon. Que devez-vous faire ensuite ?

☐ **a.** Vous le livrez.
☐ **b.** Vous le transportez.
☐ **c.** Vous le retournez.
☐ **d.** Vous l'éconduisez.

4. Vous voulez le meilleur emplacement. Que demandez-vous ?

☐ **a.** Un bon local.
☐ **b.** Une bonne implantation.
☐ **c.** Une bonne filière.
☐ **d.** Un bon créneau.

5. Devant participer à un Salon, vous voulez des renseignements pour savoir comment faire pour vous inscrire. Que souhaitez-vous connaître ?

☐ **a.** Les motivations.
☐ **b.** Les questions.
☐ **c.** Les modalités.
☐ **d.** Les communiqués.

6. Votre participation au Salon entraîne une dépense importante. Qu'est-ce que cela représente pour vous ?

☐ **a.** Un investissement.
☐ **b.** Une dette.
☐ **c.** Un compte.
☐ **d.** Un placement.

Avez-vous le bon look ?

Rien de plus futile que le look, pensez-vous. Erreur : votre apparence en dit plus long qu'un long discours. Prenez donc le temps de vous demander si vous êtes dans le ton.

« *S'habiller, c'est prendre sa place dans l'ordre des hiérarchies sociales* », estime Marie-Louise Pierson, qui a écrit un livre sur le sujet. En clair, le look est d'abord une affaire de crédibilité. On ne s'habille pas de la même façon selon qu'on est créatif dans une agence de pub, directeur des grands comptes d'une banque d'affaires ou technicien dans une SSII*. (...) C'est si vrai qu'Hélène Lacroix-Sablayrolles, une conseillère en stratégie commerciale, a même défini une typologie des looks.

La première catégorie regroupe toutes les fonctions autour du paraître : les consultants, les banquiers ou encore les avocats d'affaires, par exemple. Leur apparence doit rassurer le client et lui donner une impression de sérieux. Les coupes sont classiques, signe de rigueur, et les coloris sombres (gris, bleu marine, noir), symboles de neutralité et de discipline.

La deuxième famille privilégie le confort. Elle rassemble les cadres que le client ne voit pas : les informaticiens, les responsables administratifs, par exemple. Ou encore ceux de la grande distribution, qui, en hommes de terrain, doivent montrer qu'ils sont capables de mettre la main à la pâte. Les uns comme les autres portent plutôt des vêtements confortables, du type chemise à carreaux, veste décontractée et pantalon de toile.

Enfin, les métiers de la séduction regroupent les créatifs et les commerciaux. Pour les premiers, le mélange des genres est de mise : leur créativité doit transparaître dans leur habillement. Les commerciaux privilégient la couleur, pour éblouir, sans tomber la cravate, par respect du client. (...)

« *En fait, ces codes sont tout simplement la transcription des valeurs auxquelles se réfèrent ces fonctions* » rappelle Éric Pestel, le dirigeant de *Lookadoc*, une agence conseil en image. Plus on est haut placé dans la hiérarchie de l'entreprise, plus la maîtrise de ces codes a d'impact sur votre crédibilité. (...)

Seul problème, les valeurs de référence sont mouvantes, et du coup les codes changent. Par exemple, le rôle du commercial évolue vers celui de consultant à qui il est demandé plus d'analyse, de réflexion et de conseils. Résultat, ses tenues doivent gagner en sobriété.

* Note : SSII : société de service en ingénierie informatique.

D'après *L'Entreprise* – n° 190, juillet/août 2001 – Marie Durieu.

Comment acquérir une méthodologie pour résumer un texte ?

❶ Approche globale du texte

A. Quelle est l'image du texte ?

Consigne 1 : Observez la mise en page du texte proposé et avant toute lecture, repérez les indices suivants : nature du texte ; titre ; chapeau ; typographies ; nombre de paragraphes.

Consigne 2 : D'après ces indices, faites des hypothèses sur le contenu de ce texte.

B. Quelle est l'idée générale du texte ?

Consigne 3 : Lisez une première fois le texte et formulez en une phrase ce que vous avez globalement compris.

❷ Identification des outils linguistiques

A. Comment est construit le discours ?

Le texte comporte plusieurs paragraphes.

Consigne 4 : Soulignez dans l'ensemble du texte :
– les mots de liaison (« en clair… ») ;
– les articulateurs chronologiques et logiques du discours (« la première catégorie… »).
Observez tout particulièrement les débuts et fins de paragraphe.

B. Quels sont les champs lexicaux ?

Dégager un champ lexical, c'est trouver dans le texte des mots qui appartiennent à un même thème. Deux champs lexicaux majeurs sont développés dans le texte proposé.
Le premier concerne l'apparence physique/la tenue vestimentaire :
« le look, l'apparence, les coupes, confortable, les coloris, sombres, les vêtements, la chemise à carreaux, la veste, le pantalon de toile, l'habillement, la couleur, la cravate, l'image, le code (vestimentaire), les tenues ».

Consigne 5 : Trouvez quel autre champ lexical important est développé dans le texte.

❸ Quelles sont les idées essentielles du texte ? Comment les regrouper, les synthétiser et les reformuler ?

Travail sur le début du paragraphe 1 :

– sélection des mots-clés	⟶	s'habiller, ordre, hiérarchies sociales	
+			
– intégration des articulateurs précédemment relevés	⟶	EN CLAIR	
		look	➠ affaire de crédibilité
		créatif, directeur, technicien	➠ on ne s'habille pas de la même façon

– on peut synthétiser la 1re phrase (habiller/ordre/hiérarchies sociales) avec la 2e phrase (look/affaire de crédibilité) puisqu'avec l'articulateur « en clair » on introduit une façon différente de parler de la même chose.
– reformulation : on s'habille selon sa fonction et pour être crédible.

Consigne 6 : Relisez la fin du paragraphe 1 et les suivants. Faites comme précédemment pour résumer le texte :
– sélectionnez les mots-clés ;
– intégrez les articulateurs précédemment relevés ;
– regroupez les idées ;
– synthétisez-les et reformulez-les.

Réponses

❶ Approche globale du texte

A. Quelle est l'image du texte ?

Consigne 1 : nature du texte : un article de la revue *L'Entreprise* ; titre : « Avez-vous le bon look ? » ; chapeau : « Rien de plus futile [...] vous êtes dans le ton. » ; typographies : trois différentes pour titre/chapeau/texte ; nombre de paragraphes : six.

Consigne 2 : hypothèse sur le contenu : le titre et surtout le chapeau permettent de comprendre qu'il s'agit d'un article qui traite de l'importance du look et probablement dans le monde du travail (*L'Entreprise* est une revue pour les personnes qui s'intéressent à l'économie).

NB : Certains textes comportent beaucoup de chiffres et/ou de pourcentages. Ce qui permet ainsi de « deviner » qu'il est question de statistiques, peut-être d'études comparatives. D'une manière générale, à cette étape, identifiez tout ce qui apparaît en relief.

B. Quelle est l'idée générale du texte ?

Consigne 3 : la lecture du texte confirme ce que le titre et le chapeau annonçaient explicitement. De plus, ce texte parle du look dans le cadre du travail : le look diffère selon la fonction et il manifeste les valeurs qui sont rattachées à chaque fonction.

❷ Identification des outils linguistiques

A. Comment est construit le discours ?

Consigne 4 :

Avez-vous le bon look ?

Rien de plus futile que le look, pensez-vous. Erreur : votre apparence en dit plus long qu'un long discours. Prenez donc le temps de vous demander si vous êtes dans le ton.

« *S'habiller, c'est prendre sa place dans l'ordre des hiérarchies sociales* », estime Marie-Louise Pierson, qui a écrit un livre sur le sujet. **En clair**, le look est d'abord une affaire de crédibilité. On ne s'habille pas de la même façon selon qu'on est créatif dans une agence de pub, directeur des grands comptes d'une banque d'affaires ou technicien dans une SSII. (...) **C'est si vrai qu'**Hélène Lacroix-Sablayrolles, une conseillère en stratégie commerciale, a même défini **une typologie des looks***.

La première catégorie regroupe toutes les fonctions autour du paraître : les consultants, les banquiers ou encore les avocats d'affaires, par exemple. Leur apparence doit rassurer le client et lui donner une impression de sérieux. Les coupes sont classiques, signe de rigueur, et les coloris sombres (gris, bleu marine, noir), symboles de neutralité et de discipline.

La deuxième famille privilégie le confort. Elle rassemble les cadres que le client ne voit pas : les informaticiens, les responsables administratifs, par exemple. Ou encore ceux de la grande distribution, qui, en hommes de terrain, doivent montrer qu'ils sont capables de mettre la main à la pâte. Les uns comme les autres portent plutôt des vêtements confortables, du type chemise à carreaux, veste décontractée et pantalon de toile.

Enfin, les métiers de la séduction regroupent les créatifs et les commerciaux. Pour les premiers, le mélange des genres est de mise : leur créativité doit transparaître dans leur habillement. Les commerciaux privilégient la couleur, pour éblouir, sans tomber la cravate, par respect du client. (...)

« ***En fait***, *ces codes sont tout simplement la transcription des valeurs auxquelles se réfèrent ces fonctions* » rappelle Éric Pestel, le dirigeant de *Lookadoc*, une agence conseil en image. Plus on est haut placé dans la hiérarchie de l'entreprise, plus la maîtrise de ces codes a d'impact sur votre crédibilité. (...)

Seul problème, les valeurs de référence sont mouvantes, et du coup les codes changent. Par exemple, le rôle du commercial évolue vers celui de consultant à qui il est demandé plus d'analyse, de réflexion et de conseils. Résultat, ses tenues doivent gagner en sobriété.

* Note : fin de paragraphe signifiante : formule une annonce, une catégorisation qui sera introduite par les articulateurs chronologiques (« première catégorie », « deuxième famille », « enfin »).

– paragraphe 1 : « en clair » : expression utilisée pour introduire une reformulation ; « c'est si vrai que » : expression utilisée pour introduire une conséquence évidente ;
– paragraphe 5 : « en fait » (en réalité) : terme utilisé pour recadrer le discours, redéfinir avec plus de précision ;
– paragraphe 6 : « seul problème » : expression utilisée pour introduire une réserve, mettre l'accent sur une difficulté ;
Conclusion : le journaliste veut démontrer en quoi le look est important dans le monde du travail.

B. Quels sont les champs lexicaux ?

Consigne 5 : autre champ lexical : celui du travail, des professions.
➠ « un créatif, une agence de pub, une stratégie commerciale, un directeur, une banque d'affaires, un client, un technicien, une SSII, un homme de terrain, une fonction, une agence conseil, une hiérarchie de l'entreprise, des consultants, des banquiers, un avocat, un cadre, des responsables, un administratif, des commerciaux ».
NB : Repérer des champs lexicaux, c'est identifier « de quoi on parle ». Ce sont d'autres indices qui vous permettront de répondre à une autre question fondamentale : « Pour quoi faire ? ».
➠ Ici on parle de l'apparence physique dans le monde du travail pour montrer que le look est porteur de sens.

3 Quelles sont les idées essentielles du texte ? Comment les regrouper, les synthétiser et les reformuler ?

Consigne 6 :

Résumé

Avez-vous le bon look ?

On s'habille selon sa fonction et pour être crédible. Il existe même une hypothèse des façons de s'habiller.
Premièrement : ceux qui sont exposés aux regards des clients tels que les banquiers, il s'agit de faire sérieux : vêtements sobres, neutres.
Deuxièmement : pour les cadres sans contact avec la clientèle : vêtements confortables.
Pour finir : pour les professions de la séduction : excentricité pour les créatifs, couleur pour les commerciaux.
En réalité ces règles reflètent les valeurs qui vont de pair avec ces fonctions. Plus on occupe un poste important, plus on doit respecter ces codes vestimentaires : question de crédibilité.
Il reste que les codes doivent s'adapter aux valeurs qui elles-mêmes changent.

Unité 1 Accueillir un visiteur

Où sommes-nous ?

Dialogue 1

Monsieur Feirrera : Bonjour Madame.
Madame Jacquot : Bonjour Monsieur.
MF : Où allez-vous ?
MJ : À la gare de Lyon, s'il vous plaît.
MF : Vous avez un itinéraire préféré ?
MJ : Oh, non pas vraiment. Enfin le plus rapide, hein. J'ai un rendez-vous urgent. Et puis surtout évitez les rues trop encombrées même si le trajet est plus long.

Dialogue 2

Antoine Dunel : Bonjour Madame.
Cécilia Gusta : Bonjour Monsieur. Que puis-je faire pour vous ?
AD : Pourriez-vous me donner vos brochures sur l'Asie, s'il vous plaît ?
CG : Voilà… Et vous souhaitez partir à quelle date ?
AD : Écoutez, je ne suis pas encore fixé. Je voudrais déjà me faire une idée des prix de vos circuits.

Dialogue 3

Françoise Sabord : Bonjour Madame.
Cât Tran : Bonjour Madame.
FS : Est-ce qu'il me serait possible de rencontrer monsieur Glachan ?
CT : Oui. C'est à quel sujet, s'il vous plaît ?
FS : Oh, je voudrais simplement lui montrer des échantillons de notre nouvelle gamme de produits.
CT : Je… je vais voir s'il peut vous recevoir. Je vous en prie, asseyez-vous quelques instants. Je vais contacter son secrétariat.

Dialogue 4

Monsieur Boché : Bonjour Monsieur Perez.
Monsieur Perez : Bonjour Monsieur Boché.
MB : Et bienvenue en France. Vous avez fait bon voyage ? Pas trop fatigant ce vol ?
MP : Oh, non, ça va. J'ai assez bien dormi.
MB : Est-ce que vous avez des bagages à récupérer ?
MP : Non, non. J'ai juste un bagage à main.
MB : Ah, euh, vous souhaitez que nous passions à votre hôtel avant ?
MP : Non, c'est pas la peine. J'ai beaucoup de rendez-vous prévus aujourd'hui, et je préfère que nous allions directement au siège social pour parler de notre contrat.

Dialogue 5

Henri Durout : Bonjour Madame.
Greta Uber : Bonjour Monsieur.
HD : Euh, quelqu'un s'occupe de vous ?
GU : Euh, non, non, pas encore. C'est pour une réparation. J'arrive plus à fermer le coffre de ma voiture.
HD : Ah, euh, vous aviez rendez-vous ?
GU : Non, non, pas du tout. Bah, ça vient d'arriver et, et comme je passais devant chez vous…
HD : Bien. Patientez un instant s'il vous plaît. Je vais voir avec le mécanicien.

Unité 1 Accueillir un visiteur

Des situations d'accueil

1. Sur la boîte vocale d'un hôtel

Hôtel Beauséjour, bonjour. La réception vous accueille de 6 h 30 à 11 heures et de 17 heures à 22 heures du lundi au samedi ; le dimanche et les jours fériés de 7 heures à 11 heures et de 17 heures à 22 heures. Vous pouvez également nous joindre par téléphone de 6 h 30 à 22 heures. Si vous possédez une carte de paiement, vous pouvez avoir accès à la réservation automatique des chambres 24 heures/24. Merci.

2. Dans une entreprise

Adeline Beaupré : Bonjour Madame.
Cécile Broux : Bonjour Madame.
AB : J'ai rendez-vous avec Monsieur Bernard. Je suis Madame Beaupré.
CB : Ah, Monsieur Bernard est en réunion et, et il n'a pas tout à fait terminé. Il va vous recevoir dans quelques minutes. Il m'a prié de vous transmettre ce dossier en, en attendant. Euh, puis-je, puis-je vous offrir un, un café ?

3. À la poste

Francisco Camilleri : Bonjour.
Georges Fringant : Bonjour.
FC : C'est un paquet pour le Brésil.
GF : Ah, désolé mais vous vous êtes trompé de guichet. Pour les paquets, c'est à côté. Il faut aller voir ma collègue.
FC : Merci.

4. Dans un supermarché

Monsieur Dupré : C'est clair, nos clients se plaignent beaucoup de l'accueil qui leur est réservé aux caisses. Les caissières ne sont pas aimables voire incorrectes. Il faudrait absolument organiser une réunion avec le personnel pour voir comment on pourrait améliorer cette situation.
Madame Roudi : Oui mais il faut dire qu'elles ne sont pas assez nombreuses et il y a de plus en plus de monde, donc de plus en plus d'attente aux caisses. Non, non, il faut, il faut absolument penser à embaucher de nouvelles hôtesses de caisse.

Unité 2 Découvrez l'entreprise

Des nouvelles brèves

Annonce 1

Depuis le 1er juin les doubles vitrages sont obligatoires en France pour les fenêtres dans les logements neufs afin d'économiser l'énergie ; c'est une bonne nouvelle pour les fabricants de verre.

Annonce 2

La société *Brioche Pasquier* vient de prendre 40 % du marché de la viennoiserie grâce à son principe : vendre des produits industriels aussi bons que ceux du boulanger. C'est sur ce secret que l'entreprise a bâti sa réussite : 6,5 millions de brioches, croissants, petits pains au lait sortent chaque jour de ses fours.

Annonce 3

Le distributeur d'articles de sport *Décathlon* voit ses résultats en nette hausse. L'enseigne qui vient d'ouvrir un magasin au Brésil est présente dans onze pays notamment en Espagne, aux États-Unis, en Italie et en Allemagne.

Annonce 4

La maison de mode *Kenzo* et le groupe japonais *Chori* viennent de créer une société commune afin de renforcer la distribution de la marque au Japon. Cette association va permettre à *Kenzo* de bénéficier d'un très large réseau de vente pour ses vêtements.

Annonce 5
Europair vient d'acheter vingt *Airbus* pour moderniser sa flotte. La compagnie de fret aérien dessert 60 pays et compte recruter 500 navigants d'ici la fin de l'année. C'est une bonne nouvelle pour le secteur aéronautique.

Unité 2 Découvrez l'entreprise

Micro-trottoir

Personne 1
Mon patron, je ne voudrais pas en changer. Non seulement il fait bien son boulot sans s'occuper du mien, bon mais, en plus, il répond présent quand j'ai besoin d'aide. Et comme je passe plus de temps avec lui qu'avec mon mari, j'apprécie qu'il soit aussi humain et sympathique. Mais, mais surtout, j'admire ses compétences.

Personne 2
Ah, il est génial ! Mon « président », il est à la fois exigeant et facile à vivre. Je ne lui trouve aucun défaut. Il me fait confiance, il me laisse plein d'initiative. Il est très arrangeant quand j'ai besoin de partir plus tôt et puis surtout il, il respecte ma vie privée.

Personne 3
Eh ben mon patron, en fait, c'est une patronne et je la trouve pas mal du tout. Elle est disponible et elle a de l'humour. J'apprécie qu'elle soit d'humeur égale. Son seul défaut, c'est d'être maniaque : elle veut sans arrêt que je range mon bureau.

Personne 4
J'ai eu dans le passé un patron très pénible, un patron qui était grossier avec ses collaborateurs. J'ai un nouveau patron depuis six mois. Alors maintenant, je me méfie ; un patron ou un autre tant que je serai employé, il faudra bien que je travaille avec. Du moment que j'ai mon salaire à la fin du mois, c'est tout ce qui m'importe.

Personne 5
Mon patron oh, oh, mon patron c'est l'horreur. Il en demande toujours plus, mais on ne travaille jamais assez bien pour lui. Même quand on fait des heures supplémentaires hein, ça lui suffit pas. En plus il est pas aimable, ah, ça, pour pas être aimable, il est pas aimable, et il faut supporter son caractère toute la journée.

Unité 3 L'environnement de l'entreprise

Le témoignage d'un entrepreneur

Bien, en mars 1997, j'ai repris une unité de fabrication de caisses de bois du début du siècle qui employait à cette époque sept personnes. L'usine était tellement vieille qu'elle n'avait aucun bureau digne de ce nom. Donc j'ai choisi d'installer mes bureaux dans une pépinière située à dix kilomètres de l'usine, ce qui m'a semblé une bonne solution provisoire pour installer les bureaux.
Je savais que les admissions étaient très difficiles. Donc je suis allé défendre mon dossier devant le comité d'admission alors que j'étais encore en train de négocier l'achat de l'entreprise. J'ai donc pu m'installer, seul au départ, dans 30 m^2, dès le mois de mars. Bien ça m'a permis tout de suite de disposer de moyens administratifs. Puis le responsable commercial m'a rejoint et j'ai pu embaucher une secrétaire au bout de trois mois. Alors là, j'ai obtenu un local de 90 m^2. Le rêve, quoi !
Vous savez, je, je suis un fonceur de nature. L'aide proposée en pépinière m'a permis tout de suite de prendre du recul par rapport à mon projet, de, de ne pas aller trop vite, si vous voulez. Grâce à elle et à toutes les rencontres que j'ai pu faire, j'ai même complété mon activité : j'ai repris l'agence commerciale d'un fabricant de carton. Puis j'ai quitté la pépinière après neuf mois pour installer l'ensemble de l'entreprise dans un, dans une usine plus grosse de 1 200 m^2 que je loue à la ville de Libourne. Et quatorze personnes travaillent avec moi aujourd'hui.

Unité 4 Rechercher un emploi

Une start-up

Le journaliste : Céline Berleure, bonjour.
Céline Berleure : Bonjour.
J : Madame Berleure, vous venez juste de lancer votre site Internet. Pour vous aider, vous recrutez des cadres qui ont plus de 40 ans. Ce n'est pas courant. Alors, pourquoi ?
CB : C'est vrai que notre moyenne d'âge, d'environ 34 ans, est supérieure à la moyenne habituelle dans les start-up. Ma directrice commerciale a 43 ans, et les rédactrices, 42 et 39 ans, je crois. Je voulais des professionnels pour lancer rapidement mon site et en faire une référence. Vous comprenez bien que la compétence de mes collaborateurs est un gage de crédibilité et de viabilité. J'ai vu trop de start-up s'effondrer parce que, elles avaient une bonne idée au départ mais aucune connaissance du secteur.
J : D'accord, mais les seniors préfèrent en général les entreprises traditionnelles. Avouez qu'ils doivent être difficiles à recruter, non ?
CB : C'est vrai que j'ai eu quelques refus. C'est bien normal. En tout cas, ceux qui nous ont suivis ont compris que le projet était solide et que le Web pouvait leur apporter autre chose. Pas question, en tout cas, d'attirer les seniors avec des stock-options. C'est pour ça que chez nous, les stock-options sont plus faibles que celles distribuées habituellement dans le secteur mais les salaires sont plus élevés.
J : C'est un bon argument. Bien, dites-moi, vous dirigez des salariés qui ont jusqu'à dix ans de plus que vous. Cela ne crée-t-il pas de problèmes entre vous ?
CB : Oh non, bien au contraire. Je suis la seule à posséder une double compétence en matière de parfum et de site Web ; oui, j'ai créé dernièrement le site marchand d'un couturier célèbre. Mes collaborateurs ont déjà l'expérience du management dans l'entreprise. Ils ont en plus une intelligence et une expérience des rapports humains que les jeunes n'ont pas. En fait, ce sont eux les plus durs à gérer.

Unité 4 Rechercher un emploi

À la direction des ressources humaines

Personne 1
Je vous appelle de la part de notre directeur des ressources humaines. Votre candidature nous intéresse beaucoup et il aimerait vous rencontrer d'urgence pour un entretien le plus tôt possible. Euh, seriez-vous libre demain matin à 10 heures ?

PERSONNE 2
Bon, alors il faudrait publier une annonce sur notre site. Nous avons besoin de deux commerciaux export. Occupez-vous-en et précisez bien qu'il faut justifier d'au moins 3 ans d'expérience de vente de produits techniques à l'international et que la maîtrise de deux langues est impérative.

PERSONNE 3
Écoutez, je crois que j'ai fait mes preuves. Il était question que je passe chef des ventes avant la fin de l'année. Et comme vous le savez, j'ai doublé notre chiffre d'affaires et augmenté de 10 % notre part de marché auprès des jardineries et des grandes surfaces pour la région Sud-Est. J'attends vraiment une reconnaissance de mes compétences.

PERSONNE 4
Catherine, il faudrait préparer une note à l'attention des chefs de service pour connaître les besoins en formation du personnel concernant l'utilisation d'Intranet et d'Internet. S'il vous plaît, demandez une réponse avant le 10 de ce mois. Il faut que nous mettions en place notre plan de formation et nous sommes en retard.

PERSONNE 5
Alors pour le planning des congés ça n'avance toujours pas. Je vois que vous n'avez pas reçu tous les vœux du personnel. Il faut absolument qu'il y ait un roulement pendant les vacances d'été.

Unité 5 Les relations dans le travail

Des nouvelles brèves

ANNONCE 1
L'Agence nationale pour l'emploi de Marseille recherche pour le secteur de l'hôtellerie trois serveurs ou serveuses en CDD et un cuisinier en CDI. Les postes sont à pourvoir immédiatement.

ANNONCE 2
Le gouvernement a annoncé qu'une hausse de 1 % du SMIC sera appliquée à partir du 1er juillet afin de maintenir le pouvoir d'achat. Une prime de rentrée scolaire de deux cents euros sera versée par enfant au mois de septembre.

ANNONCE 3
Les ouvriers de la société *Métalonic* sont inquiets des conséquences sur l'emploi du rachat de leur entreprise par le groupe allemand *Gruber* et ont décidé de cesser le travail. Les syndicats CGT et FO envisagent d'organiser une manifestation de soutien lundi.

ANNONCE 4
Cinq mille licenciements supplémentaires sont à prévoir dans les secteurs des télécommunications et de l'informatique. Ces suppressions de postes sont dues à une diminution des coûts. La principale raison de la crise concerne le ralentissement des investissements des opérateurs de télécommunications.

ANNONCE 5
La mise en place des 35 heures a permis aux employés des salons de coiffure *Beautif* de travailler 36 heures par semaine sur cinq jours et de bénéficier de sept jours de congé supplémentaires ; un système informatique a été conçu pour contrôler les horaires de travail effectif.

Unité 6 Prendre contact par téléphone

Le répondeur téléphonique

MESSAGE 1
Bonjour et bienvenue au service des ventes d'*Electromatic*. Nous sommes ouverts de 8 h 30 à 19 heures sans interruption. Si vous souhaitez un dépannage, veuillez laisser vos coordonnées. Une hôtesse vous rappellera. Merci.

MESSAGE 2
École des langues, bonjour. Merci de rester en ligne, nous allons vous répondre dans un instant.

MESSAGE 3
Le numéro que vous avez demandé n'est pas en service actuellement. Nous regrettons de ne pouvoir donner suite à votre appel.

MESSAGE 4
Bonjour. En raison d'un grand nombre d'appels, votre demande ne peut aboutir. Nous vous demandons de renouveler votre appel ultérieurement. Merci.

MESSAGE 5
Allô, bonjour vous êtes bien sur la messagerie vocale de Jean Labarthe. Je suis actuellement en déplacement. Merci de me contacter sur mon portable au 06 09 76 34 65.

Unité 6 Prendre contact par téléphone

Au téléphone

1. Un rendez-vous

La secrétaire : Bonjour, Monsieur. Nicole Fanton à l'appareil, la secrétaire de Monsieur Gilbert.
Maxime Gabilly : Oui, bonjour Madame.
S : Euh, je vous appelle au sujet de votre rendez-vous avec M. Gilbert le mardi 7 à 13 heures. Malheureusement, il ne pourra pas vous recevoir comme prévu. Il vous prie de l'excuser et vous demande de reporter son rendez-vous.
MG : Eh ben écoutez, il y a pas de problème. Euh, ce serait quand ?
S : Attendez, est-ce que jeudi 16 à la même heure vous conviendrait ?
MG : Ah, jeudi 16, désolé mais je suis pris, hein. Euh, je préférerais le lundi 13... à 14 heures. Est-ce que ça vous irait ?
S : Hum, hum, hum... Non, non, non, monsieur Gilbert a une réunion à cette heure-là. Euh, est-ce qu'il serait possible de décaler votre rendez-vous le même jour vers 16 heures ?
MG : Ah mais très bien, c'est noté pour le 13.
S : Je vous remercie Monsieur Gabilly. Et puis excusez-nous encore. Au revoir, Monsieur.
MG : Au revoir, Madame.

2. Le bon numéro

Standard : Monsieur Blanc ? Ah, M. Blanc est en rendez-vous à l'extérieur. Pourriez-vous me donner votre numéro de téléphone pour qu'il vous rappelle ?
Mme Le Bot : Oui, c'est le 05 58 63 87 90.
S : Le 05 58 63 87 90, c'est bien cela ?
MB : Oui, oui, oui, c'est bien ça.

3. C'est à quel sujet ?

Monique Latut : Oui, allô, euh, c'est la parfumerie *Beautéform*, à La Rochelle.

Service commercial : Bonjour Madame.
ML : Oui euh, bonjour. Écoutez, je vous appelle parce que j'attends toujours ma commande de crèmes hydratantes pour le corps.
SC : Euh, bien, veuillez patientez un instant, je vous prie, euh, je vais voir avec le service des expéditions... Ah, votre commande est bien partie ; elle va vous parvenir sous 48 heures.
ML : Ah, ben, je l'espère bien. Ça fait déjà une semaine que j'attends votre livraison !

4. À qui souhaitez-vous parler ?
Mlle Basque : Bonjour Madame. Voilà. J'ai reçu un e-mail en réponse à ma candidature pour un stage dans votre entreprise. Et on me demande de vous contacter pour un rendez-vous.
Standard : Pouvez-vous m'indiquer votre nom, s'il vous plaît ?
MB : Nicole Basque.
S : Ne quittez pas, s'il vous plaît. Je vous mets en communication avec le responsable de la formation.

5. Quelle suite donner ?
Standard : Société *Actuel,* bonjour.
Pierre Miret : Bonjour Madame. Je souhaiterais parler à Monsieur Hervé, s'il vous plaît.
S : M Hervé est en déplacement à l'extérieur. Est-ce que je peux prendre un message ?
PM : Oui, oui. Euh, pourriez-vous lui demander de m'adresser d'urgence par télécopie le plan des locaux. C'est pour M. Arnault.
S : Ce sera fait sans faute dès le retour de M. Hervé.
PM : Bien, bien, je compte sur vous, hein.

Unité 7 Organiser son emploi du temps

Seriez-vous prête à rester au foyer ?

PERSONNE 1
Il faut dire que les aides ou les incitations fiscales ne sont pas satisfaisantes pour ceux qui ont un faible salaire comme moi. Si je gagnais au Loto, là j'arrêterais de travailler, c'est sûr. Pour commencer, l'idéal serait que les mères puissent bénéficier de plus de congé de maternité.

PERSONNE 2
Quel que soit le dispositif mis en place, rien ne peut me faire rester à la maison. Non, moi, j'ai besoin de travailler pour m'épanouir et les enfants le savent. C'est une question d'équilibre d'autant que j'aime mon métier. L'important serait de diminuer le temps de travail afin de rentrer plus tôt et être avec sa famille.

PERSONNE 3
Oh oui, s'occuper de ses enfants, c'est important pour la qualité de vie. Mais travailler aussi. Et les enfants sont contents de, de savoir que leur maman voit autre chose. Alors le choix est difficile...

PERSONNE 4
Je n'ai pas les moyens de faire la grasse matinée avec les enfants à charge. Les, les aides ne me permettent pas d'assurer leur avenir. Surtout, surtout quand on se, quand on se retrouve seule comme moi avec des enfants. Mais, mais garder un contact avec le monde du travail est aussi important. Et puis, et puis je crois que si j'arrêtais de travailler, je serais mal.

PERSONNE 5
Ah oui, oui, ce serait formidable. D'ailleurs j'aimerais rester tout le temps à la maison mais pour le moment mes conditions financières ne me le permettent pas. En tout cas, j'espère que c'est pour bientôt. Et c'est d'ailleurs pour ça que j'ai choisi le temps partiel afin de profiter de ma famille.

Unité 7 Organiser son emploi du temps

Gérer les congés d'été

Vous savez, nos besoins sont relativement faibles, de l'ordre d'une dizaine de personnes et sont comblés par des stagiaires, des CDD ou alors encore des intérimaires. Nous recevons donc une quantité importante de candidatures spontanées. Les stagiaires pour les mois d'été sont donc sélectionnés parmi ces candidatures. Cela fait partie de notre mission de participer à leur formation. Et on trouve tous les profils, des bacs professionnels aux élèves des écoles de commerce. Alors, ces personnes sont présentes dans tous les secteurs de l'entreprise sauf à la production où nous avons besoin de main-d'œuvre d'appoint. Nous faisons alors appel à notre agence d'intérim. Cela arrive de plus en plus fréquemment l'été ; dans notre activité, la demande reprend surtout à partir de juillet.
Ce qu'il faut savoir, c'est que certains emplois saisonniers peuvent se transformer en contrats à durée indéterminée surtout quand l'activité est en forte croissance. Finalement, les jobs d'été constituent un réservoir potentiel d'embauches. Ce mécanisme me semble donc un fonctionnement naturel car beaucoup d'emplois intérimaires en production sont pourvus par des gens que nous connaissons et avec lesquels nous travaillons.

Unité 8 Organiser un déplacement

Une ville de congrès

Le journaliste : Monsieur Lacombe, parlez-nous de Biarritz.
Monsieur Lacombe : Eh bien, la ville de Biarritz est située comme vous le savez entre l'Océan et la montagne et bénéficie d'un climat doux tout au long de l'année. Biarritz, Biarritz, c'est aussi des grandes plages avec des vagues très puissantes. Ici, on accueille tout naturellement les surfeurs du continent européen depuis 1957 ; voilà pourquoi nous sommes devenus la capitale historique du surf en Europe.
J : Biarritz la capitale du surf bien sûr, mais, mais encore ?
ML : C'est aussi la thalassothérapie. C'est à la douceur du climat que l'on doit le développement de la thalassothérapie, c'est-à-dire des soins par l'eau de mer. Et puis, Biarritz, Biarritz c'est le lieu où l'on pratique le golf toute l'année.
J : Eh oui, bien sûr, mais alors, parlez-nous maintenant des possibilités d'hébergement.
ML : Eh bien, d'abord, il ne faut pas oublier que Biarritz possède une très grande diversité d'hébergement, justement, qui reflète fidèlement la tradition de l'hospitalité basque. Cela va de l'hôtel familial à l'hôtel de luxe, notre ville dispose toute l'année de 2 000 chambres proches

des centres de congrès ou dans des quartiers plus résidentiels. Tous ces établissements proposent une large gamme de services : congrès, séminaires, festivals, salons, expositions, organisations de spectacles, et tout ceci à une heure d'avion de Paris. Vous voyez que Biarritz offre un cadre exceptionnel à toutes ces manifestations professionnelles.

J : Eh oui tout à fait, je vois. Et j'imagine que vous avez plusieurs centres de congrès ?

ML : Oui, bien sûr. Notre ville en possède trois entièrement rénovés et au cœur de la ville. Comme vous le savez certainement, Biarritz a accueilli la réunion des chefs d'État du G 8, elle est l'une des rares villes françaises à pouvoir offrir une telle capacité d'accueil. Grâce aux 10 000 journalistes présents pour couvrir l'actualité, notre ville s'est fait connaître dans le monde entier.

Unité 8 Organiser un déplacement

Des patrons voyageurs

PERSONNE 1

Oui, ma société est spécialisée dans la sécurité des sites Internet et l'essentiel de notre marché se trouve aux États-Unis. Du coup, je suis devenu un expert en traversées transatlantiques et surtout sur *Airbus*. Selon l'avion dans lequel je voyage, en général je sais d'avance les places que je vais demander. Par exemple, dans les *A340*, je demande toujours à être du côté du hublot, ça m'évite les couloirs et le milieu de la travée centrale avec ses quatre sièges.

PERSONNE 2

Finalement l'avion fait partie de ma vie quotidienne. Nos plus gros clients se trouvent à Paris mais nous multiplions nos activités internationales qui représentent 40 % de notre chiffre d'affaires, non seulement en Europe mais aussi au Brésil et en Chine. Ces impératifs de déplacement ont d'ailleurs conditionné l'implantation de nos bureaux à deux pas de l'aéroport de Toulouse, ce qui nous met à une heure de nos clients parisiens.

PERSONNE 3

Comme tous les grands voyageurs, j'ai mes petits trucs. Dans les longs vols sur Tokyo, je commande une demi-bouteille de champagne après le dîner pour m'endormir. Pardon ? Ah, pour me faire surclasser gratuitement, j'arrive au dernier moment, ce qui augmente le risque de voir la classe touriste complète : comme ça, je n'ai pas trop de mal à me faire installer en classe affaires avec ma carte fidélité, ha, ha, ha, ha !

PERSONNE 4

Je me déplace pour tous les grands salons internationaux qui sont liés à l'édition et la diffusion des jeux vidéo. Je vais donc régulièrement aux États-Unis, à Londres ou à Francfort. Je dois aussi me rendre en Belgique et aux Pays-Bas. Évidemment, quand c'est possible, je prends le train. C'est mon assistante qui s'occupe de mes réservations. À ce moment-là, elle se connecte à Internet, ce qui me permet de connaître les disponibilités de dernière minute et donc de faire une réservation d'un simple clic au meilleur prix.

Unité 9 Marché et résultats de l'entreprise

Des résultats et des chiffres

Bonjour Delphine. Bien, pouvez-vous apporter quelques corrections au communiqué financier que je vous ai laissé hier soir. Alors, j'ai les derniers chiffres. Donc, le chiffre d'affaires consolidé est bien correct mais pour les articles de sports d'hiver, il y a une erreur : donc le total est de 310,42 euros. Pour les produits ski, il manquait un chiffre : il s'agit de 290,22 euros, d'accord ? Euh, le montant des autres activités est de 90 euros. Bien pour le golf, c'est bon ; pour le tennis… Ah oui, notez bien s'il vous plaît : 33,40 euros, voilà. Ah, une dernière erreur : l'augmentation du chiffre d'affaires est de 25,7 %. Euh, voilà ; c'est tout. Merci.

Unité 9 Marché et résultats de l'entreprise

Des clients répondent

PERSONNE 1

Vos délais ? Rien à dire, ils sont plus que satisfaisants. Vous m'aviez dit le 13 à dix heures pour ma machine à laver ! À dix heures pile, le camion était devant ma porte et à dix heures et demie ma machine était installée. Alors là, bravo, hein !

PERSONNE 2

Ah, oui, oui, ça, vraiment, j'ai été très bien accueillie. On peut dire que votre personnel s'est montré très disponible et surtout à mon écoute. Et pourtant, vous pouvez me croire, je ne suis pas une cliente facile. Non, j'ai été très bien conseillée dans mon choix et, en plus, les informations qu'on m'a données étaient vraiment très complètes.

PERSONNE 3

Euh, oui, oui, oui, oui, je suis cliente de votre marque depuis longtemps. Vos lessives ? Oh, bah elles sont très performantes. Toutes, toutes les taches partent, et pas une seule trace sur le linge et, et avec les enfants, vous imaginez l'état des vêtements. Pour rien au monde je ne changerais de lessive.

PERSONNE 4

Ah non, j'ai rien à dire sur la fiabilité de vos téléviseurs. Mais ils sont beaucoup trop chers. Non mais vous avez vu, ils ont encore augmenté. Je me demande qui peut encore les acheter. Pas moi en tout cas, je n'ai plus les moyens de mettre une telle somme dans une télé.

PERSONNE 5

Comme je travaille, je commande beaucoup par Internet surtout pour l'épicerie. Les bouteilles d'eau, par exemple, eh, eh, c'est trop lourd à porter alors Internet, c'est idéal. Il faut dire que j'habite un cinquième étage sans ascenseur. Pour les produits frais comme la viande, le poisson ou bien le pain, je vais chez les petits commerçants du quartier. Ah, ah, c'est plus sympa et, et puis on se connaît, depuis le temps.

Unité 10 Fabrication et mode d'emploi

Des nouvelles brèves

ANNONCE 1

Pour la première fois de leur histoire, les ventes d'ordinateurs en Europe de l'Ouest ont reculé. Des pertes importantes sont annoncées dans ce secteur.

ANNONCE 2
Un centime gagné par boîte, cela paraît très peu mais on prend cela très au sérieux quand on en vend trois milliards par an ! L'emballage représente en effet 45 % du prix de revient d'une boîte de légumes ! À cela s'ajoute la contribution financière demandée pour le recyclage ce qui incite les industriels à repenser leur emballage pour trouver des solutions plus économiques.

ANNONCE 3
Le styliste de mode *Giorgio Armani* annonce que son groupe entend se lancer dans les montres de luxe, les bijoux et l'hôtellerie. Il ne s'agira pas seulement d'hôtels de luxe mais aussi d'une chaîne pour les jeunes.

ANNONCE 4
Le Président du directoire du groupe automobile *PSA* va révéler sa stratégie pour la pile à combustible. Au programme : la voiture électrique qui devra être en vente chez les concessionnaires dans dix ans. *Peugeot* souhaite la commercialiser en masse, mais pas avant cette date.

ANNONCE 5
Le site *Black Orange* fait parvenir des logiciels à travers toute la France en 4 heures en région parisienne et en 24 heures en province à partir de la commande. Pour y parvenir, la société a choisi de sous-traiter l'intégralité du stockage, de la gestion du stock, du traitement des commandes et du transport à une seule entreprise qui possède sa propre flotte et 300 coursiers.

Unité 10 Fabrication et mode d'emploi

Comment se protéger de la contrefaçon ?

PERSONNE 1
Nous avons pour principe de poursuivre en justice tous les contrefacteurs et nous avons pu obtenir l'arrêt de plusieurs chaînes de fabrication. Si nous avions laissé faire, tous nos concurrents en auraient profité.

PERSONNE 2
Eh bien, lorsque des copies de nos produits sont apparues sur le marché, nous avons tout de suite baissé nos prix de 15 à 20 %. Certes, nous sommes restés plus chers que notre concurrent mais nous avons préservé notre volume de ventes car la qualité visible de nos articles justifiait l'écart de prix.

PERSONNE 3
Par contrat nous exigeons de nos façonniers le secret de fabrication. En cas d'indiscrétion, nous changeons sans hésitation de partenaire.

PERSONNE 4
Vous savez, nous avons 114 références. Tout protéger nous coûterait une fortune. Nous nous limitons donc aux modèles qui sont les plus copiés.

PERSONNE 5
Nous sortons quatre collections par an qui comprennent chacune 400 références. En changeant ainsi très vite les modèles, les produits deviennent vite démodés et nos concurrents n'arrivent pas à suivre.

Unité 11 Passer commande

De brèves communications

1. Une commande

Télé vendeur : Bonjour, *Domolinge* à votre service.
Cliente : Oui, bonjour, je voudrais passer une commande.
T V : Oui. Pouvez-vous me donner votre numéro de cliente, s'il vous plaît ?
C : Ah oui, alors attendez. C'est, c'est le 286 462.
T V : Vous êtes bien Madame Eugenia Ferreira,
125 boulevard Carnot 87000 Limoges ?
C : Oui oui, c'est ça.
T V : Bien, je vous écoute.
C : Bon, alors, il me faudrait une grande serviette de bain référence... référence 572 478. Voilà, c'est tout.
T V : Bien, alors, une grande serviette de bain référence 572 478 à 27,90 euros pièce. C'est noté.

2. Au téléphone

Service des ventes : Service des ventes, j'écoute.
Client : Bonjour. Ici Franck Legalec de la maison *Senteurs Sud*. Voilà, euh, je vous ai passé une commande de 100 boîtes de savons au parfum exotique et ils connaissent un tel succès que je crains de ne pouvoir répondre à la demande. Est-ce que ma commande est déjà expédiée ?
S V : Ne quittez pas, je vais me renseigner. (...)
SV : Allô ?
C : Oui, j'écoute.
SV : Eh ben, écoutez, elle est pas encore partie.
C : Eh ben dans ce cas, pouvez-vous ajouter à ma commande 50 boîtes supplémentaires référence, attendez, euh... 1 452 401.
SV : Bien. C'est noté, c'est d'accord. Je m'en occupe.
C : Dites, ça ne va pas trop retarder l'expédition, hein ?
SV : Non, pas du tout.
C : Bien, bien. Merci beaucoup. Au revoir.
SV : Je vous en prie. C'est moi qui vous remercie. Au revoir.

3. Message sur répondeur

Allô bonjour, ici le service des ventes de la société *Systemix*. Nous voulons vous informer que nous avons un problème avec notre transporteur habituel. Son camion est en panne. La marchandise ne pourra donc pas vous parvenir ce soir comme prévu. Vous la recevrez demain dans la matinée. Vous voudrez bien nous exuser pour ce contretemps. Vous pouvez nous contacter au 02 98 45 23 56 pour toute question. Merci de votre compréhension. Au revoir.

4. Au service clientèle

Cliente : Bonjour, euh... voilà ce qui m'arrive. Euh, je vous ai acheté un pull la semaine dernière et en voulant le mettre, je me suis rendu compte qu'il y avait deux grosses taches dans le dos.
Vendeur : Comment cela ? Et vous ne l'avez pas essayé avant de l'acheter ?
C : Bien sûr que je l'ai essayé. Mais, mais j'ai pas pu voir les taches dans le dos. Est-ce que vous pouvez me l'échanger ?
V : Écoutez non, désolé mais c'est malheureusement impossible. C'est un article, vous voyez, qui est soldé, nous ne pouvons pas le reprendre.
C : Écoutez, c'est pas honnête ! J'y suis pour rien, moi. Vous ne pouvez pas faire un petit effort ?
V : Non madame, nous ne faisons pas d'exception. Vous en

étiez informée au moment de l'achat. Nos articles ne sont ni repris ni échangés quand ils sont soldés.

Unité 12 Promotion et vente

Un séminaire de formation

PERSONNE 1
Très bien, Monsieur Guillaumin. Oui, je serai chez vous le jeudi 9 janvier pour une démonstration dans vos bureaux. Je le note sur mon agenda, à 14 h 30.

PERSONNE 2
Vous avez raison, la plupart de ces appareils sont très fragiles et doivent être maniés avec précaution. Mais celui-ci est totalement différent dans sa conception et il peut être utilisé très facilement.

PERSONNE 3
Alors, je vous propose notre modèle *Color plus* à jet d'encre. Cette imprimante est très performante en texte comme en photo. Ah, je vous assure, il est difficile de trouver plus rapide actuellement sur le marché. Et en plus, ce que je ne vous ai pas dit, elle est aussi économique que les imprimantes laser. Ce que je ne vous ai pas dit également, c'est qu'elle est compatible avec tous les modèles d'ordinateur. Ça, vraiment vous ne regretterez pas votre choix.

PERSONNE 4
Je tiens à vous signaler que pendant toute la durée du Salon, nous reprenons votre ancien ordinateur au prix de 300 euros à valoir sur l'achat d'un ordinateur portable, bien sûr. Non, n'hésitez pas et profitez de cette promotion exceptionnelle. Elle ne dure qu'une semaine.

PERSONNE 5
Bonjour, Jean Lucas de la société *Delta Système*. Je vous appelle pour savoir si vous avez été satisfait des appareils que nous vous avons livrés l'année dernière et j'aimerais savoir si vous pensez renouveler une partie de votre équipement cette année.

Unité 13 À propos de règlements

Une réclamation par téléphone

Standard : *Rexis*, bonjour.
Maxime Feray : Oui, bonjour. Est-ce que vous pourriez me passer le service des ventes, s'il vous plaît ?
S : C'est à quel sujet ?
MF : Il s'agit d'une erreur de facturation.
S : Ne quittez pas, je vous passe le service des ventes.
(...)
Martine Drouet : Martine Drouet, service des ventes, j'écoute.
MF : Bonjour Madame, Pascal Feray du service comptabilité chez *Autovision*. J'ai sous les yeux la facture n° 589 d'un montant de 790 euros correspondant à notre commande n° 172 portant sur trente montures de lunettes. Vous nous demandez un règlement au comptant dès réception alors que généralement nous bénéficions d'un règlement à 30 jours fin de mois de livraison. Je comprends pas. C'est la deuxième fois qu'une telle erreur se produit. J'aimerais une explication, s'il vous plaît.
MD : Est-ce que vous pouvez me donner votre numéro de client, s'il vous plaît ?
MF : Oui, bien sûr, c'est le 623 MB 78.
MD : Un instant, je vous prie, je prends votre dossier... Ah oui, en effet, oui, il y a une erreur.
Vos conditions de paiement stipulent bien un paiement par traite, oui, oui. Vous savez, nous avons un nouveau comptable et il n'est pas très au courant des conditions que nous vous consentons au titre d'ancien client. Vous savez que généralement nos factures sont payables au comptant avec 3 % d'escompte. Je suis vraiment désolée. Écoutez, je vois ça tout de suite avec le service facturation.
MF : Bien, et en attendant, qu'est-ce que je dois faire ?
MD : Bon, vous ne payez rien, et nous vous adressons une facture rectificative.
MF : Très bien.
MD : Avec toutes nos excuses. Au revoir, Monsieur.
MF : Au revoir.

Unité 14 Importer et exporter

Le crédit documentaire

Frédéric Meyer : Mon client se trouve au Brésil et j'aimerais que vous m'expliquiez simplement le principe du crédit documentaire. Qu'est-ce que je dois faire ?
Émilie Lorrain : Si je comprends bien, c'est la première fois que vous utilisez cette forme de paiement pour un contrat commercial.
FM : Absolument.
EL : Bon, alors votre client doit d'abord demander à sa banque d'ouvrir un crédit documentaire. Celle-ci va ensuite nous informer de l'ouverture de ce crédit en votre faveur. Alors, je vous préviens et c'est à ce moment-là que vous pouvez envoyer vos marchandises.
FM : Et quand est-ce que je suis payé ?
EL : J'y arrive, attendez ! Vous, vous me remettez les documents d'expédition, c'est-à-dire le contrat de transport avec une liasse de documents, la facture commerciale, une facture pro-forma, et un certificat d'assurance... Je vérifie si tout est conforme et je vous paie. J'envoie tous les documents à la banque de l'importateur qui les lui remet en échange de son paiement. Pas de paiement, pas de marchandises. Enfin, votre client peut récupérer les marchandises avec les documents que son banquier lui aura remis.
FM : Ce n'est pas si simple.
EL : Peut-être, mais c'est la seule garantie pour vous d'être payé sauf si vous demandez un paiement par avance à votre importateur...

Unité 14 Importer et exporter

S'implanter sur des marchés étrangers

PERSONNE 1
Alors, il faut savoir que plus le trajet est long, plus vous risquez d'être fatigué. Alors il vaut mieux choisir une formule plus coûteuse mais évidemment plus confortable afin d'arriver en forme. Euh, pour éviter les mauvaises surprises, réunissez des informations pratiques : devise du pays, horaires de travail, jours ouvrables, etc, etc. Tenez-vous bien au courant des usages locaux. En effet les comportements professionnels peuvent varier d'un pays à l'autre et évidemment leur mauvaise compréhension pourrait réduire vos efforts à zéro.

PERSONNE 2
Une fois que vous aurez déterminé vos pays cibles, vous

devez alors vous décider entre l'exportation directe ou l'exportation indirecte. Si vous optez pour cette seconde formule, à savoir l'exportation indirecte, il faudra choisir le type d'intermédiaire avec lequel vous traiterez. Si vous êtes inexpérimenté, alors là, je vais vous le dire franchement, vous avez intérêt à vous attacher les services d'un agent ou même d'un importateur.

PERSONNE 3

Si vous voulez voir vos ventes décoller, il faut présenter directement vos produits aux acheteurs potentiels. Les foires, les salons vous offrent une excellente occasion de le faire tout en vous donnant la possibilité d'évaluer la concurrence. Mais, mais attention, cela coûte cher.

PERSONNE 4

Selon le pays destinataire, les produits exportés, la nature de l'acheteur, euh, etc., différents modes de transport sont possibles mais également plusieurs conditions de vente. Les treize incoterms qui existent sont à étudier avec soin. Si vous n'avez pas d'expérience à l'international, choisissez les formules qui vous déchargent au maximum des opérations logistiques.

PERSONNE 5

Ce qui est essentiel, vous comprenez, c'est de bien connaître la culture de base. N'hésitez pas à montrer votre produit, discutez-en tous les aspects avec vos distributeurs potentiels : c'est vraiment la meilleure façon de découvrir les particularismes locaux. Vous verrez très vite d'ailleurs qu'il est indispensable de procéder à quelques modifications par la suite.

Unité 15 Des manifestations commerciales

Un Salon bien préparé

Le journaliste : Du 16 au 21 mars, le Salon du livre qui se tiendra porte de Versailles à Paris accueillera le public et les professionnels. Aujourd'hui, je reçois Martine Pelletier, responsable marketing déléguée Salons aux éditions *Hachette Livre*. Martine Pelletier, bonjour.

Martine Pelletier : Bonjour.

J : Un Salon comme le Salon du livre ne s'improvise pas. Pouvez-vous nous parler de cet événement incontournable ?

MP : Oui, bien sûr. La, la première des choses c'est de retenir l'emplacement. Donc dès octobre dernier, lors de la Foire du livre de Francfort, nous avons bien sûr réservé l'emplacement consacré à *Hachette Livre* soit vingt stands répartis sur 750 m^2 par pôle d'activité : littérature-jeunesse, éducation, livres illustrés. Il faut choisir avec beaucoup d'attention notre emplacement, il doit être stratégique.

J : Et qu'entendez-vous par stratégique ?

MP : Eh bien, par stratégique, j'entends le cœur du Salon, proche des entrées et de l'allée centrale qui draine le plus de visiteurs, et puis sous la verrière qui apporte la lumière du jour. Nous excluons les extrémités des allées. Il nous reste alors à répartir les stands au sein de l'îlot *Hachette*, en fonction des souhaits de chaque éditeur.

J : Ça ne doit pas être facile de contenter tout le monde ?

MP : À vrai dire, c'est un vrai casse-tête ! Enfin, les angles étant très demandés, tout le monde réclame le même endroit.

J : Et en ce qui concerne l'aménagement des stands ?

MP : Alors là, nous lançons un appel d'offres auprès de professionnels puis nous travaillons sur la décoration. Dès début janvier, nous présentons les plans et les maquettes aux maisons d'édition. Tous les détails comptent. Chaque éditeur indique le nombre de chaises, de tables, de bibliothèques nécessaires sur son stand mais aussi la manière dont il faut agencer son espace. Il sélectionne les ouvrages présentés, bien sûr. Nous, nous nous occupons aussi de commander les invitations.

J : En règle générale, combien d'invitations distribuez-vous ?

MP : 4 500 pour l'inauguration sans compter les 14 000 badges qui permettent de rentrer gratuitement. En fait, l'an dernier le Salon du livre de Paris a accueilli 234 000 visiteurs.

J : Et quelle est la grande nouveauté du Salon cette année ?

MP : En fait il y aura deux temps forts. D'une part, les enfants qui pourront rencontrer les personnages favoris de leurs livres et participer à des ateliers. Et puis enfin, du côté professionnel, nous lancerons un grand concours international pour les créateurs d'univers pour enfants.

Unité 15 Des manifestations commerciales

Réussir son Salon

PERSONNE 1

La première des choses, c'est d'étudier les coûts. Cinq postes de dépense sont à prévoir : l'emplacement, l'aménagement, le personnel, la promotion et enfin les frais annexes tels que les transports, l'hébergement...

PERSONNE 2

À partir du moment où une manifestation a retenu votre attention, faites-vous une idée plus précise en demandant à l'organisateur son dossier commercial. Le plus souvent, les entreprises choisissent de lancer leur produit sur la manifestation phare de la profession. Mais attention. Encore faut-il que l'événement auquel vous participez soit bien adapté à vos produits et à la clientèle que vous ciblez.

PERSONNE 3

Même un Salon dont l'entrée est gratuite entraîne forcément des frais pour le visiteur : il doit bien se déplacer sur le lieu de la manifestation. Donc, le premier objectif de votre argumentaire devra l'inciter à venir vous rendre visite. C'est-à-dire que vous ne devrez pas chercher à vendre le produit mais à vendre le Salon ! Mieux encore, promettez-lui donc un cadeau sur présentation de son carton d'invitation !

PERSONNE 4

Pour l'animation du stand proprement dite, le minimum est de trois personnes : un représentant de la direction, un ou deux commerciaux et une hôtesse d'accueil. Chacun devra disposer d'un planning des tâches et surtout veiller à ne jamais laisser un stand vide.

PERSONNE 5

Maintenant pour ce qui est de l'espace et de l'aménagement, une surface de 9 m^2 est considérée comme un minimum mais bien sûr tout dépend de vos activités. Ceci dit, l'implantation de votre stand conditionne votre réussite au moins autant que sa superficie. Également, n'oubliez pas qu'une fois le stand réservé, vous ne pouvez plus changer. Ce qui fait qu'en cas d'annulation, l'organisateur encaisse votre acompte, en général entre 30 et 50 % du prix de la location.

Corrigés

Unité 1

Accueillir un visiteur

Apprenez la langue

❶ **A.** Réponses libres.
B. 1 : me, m', vous, lui – **2** : y – **3** : y – **4** : en – **5** : en – **6** : le, m', les.

❷ **1.** Vous pouvez me l'expliquer ? Soyez gentil, expliquez-le-moi. **2.** Vous pouvez nous les donner ? Soyez gentil, donnez-les-nous. **3.** Tu peux nous le noter ? Sois gentil, note-le-nous. **4.** Vous pouvez me l'indiquer ? Soyez gentil, indiquez-le-moi. **5.** Vous pouvez nous le rapporter ? Soyez gentil, rapportez-le-nous. **6.** Vous pouvez me la compléter ? Soyez gentil, complétez-la-moi.

❸ **1.** Ne nous les envoyez pas maintenant, envoyez-les-nous plus tard. **2.** Ne me les donnez pas maintenant, donnez-les-moi plus tard. **3.** Ne vous en occupez pas maintenant, occupez-vous-en plus tard. **4.** Ne nous le faxez pas maintenant, faxez-le-nous plus tard. **5.** Ne me la présentez pas maintenant, présentez-la-moi plus tard. **6.** Ne t'en préoccupe pas maintenant, préoccupe-t'en plus tard.

Exercez-vous en situation

❶ **1** : D – **2** : A – **3** : B.

❷ **1.** Il faut entourer B car la formulation correcte est : « mais aussi pour les fournisseurs ». **2.** Il faut entourer A car la formulation correcte est : « soit accueillant ». **3.** Il faut entourer D car la formulation correcte est : « votre bureau ». **4.** Il faut entourer B car la formulation correcte est : « seront appréciées ». **5.** Il faut entourer A car la formulation correcte est : « sachez que ».

❸ **1** : C – **2** : D – **3** : H – **4** : F – **5** : A.

❹ **1** : d – **2** : d – **3** : c – **4** : d.

Connaissez-vous l'entreprise ?

1 : d – **2** : c – **3** : a – **4** : a – **5** : d – **6** : c.

Unité 2

Découvrez l'entreprise

Apprenez la langue

❶ **A. 1.** que – **2.** duquel, que – **3.** qui – **4.** pour laquelle, où.
B. 1. avec lequel, avec qui – **2.** à qui, en qui – **3.** auquel – **4.** dont, duquel.

❷ **1.** M. Max est directeur commercial, c'est un homme qui est très autoritaire, dont les colères sont mémorables, qui est très compétent et qu'on respecte beaucoup. **2.** Mme Montagné est informaticienne, c'est une personne qui est très sympathique avec qui tout le monde s'entend bien et sur qui on peut toujours compter. **3.** M. Tirion est directeur des ventes, c'est un homme qui est très travailleur, dont la voix est très puissante et le rire communicatif et dont la compétence professionnelle n'est plus à démontrer. **4.** Mme Carlot est P-DG. C'est une femme que ses concurrents craignent, dont les décisions sont sans appel, qui force l'admiration et que ses employés considèrent comme une grande dame.

❸ **1.** Nous sommes une SA au capital de 59 000 euros. **2.** Nous fabriquons et distribuons des produits cosmétiques et des produits de soins capillaires. **3.** Notre siège social est implanté à Levallois-Perret. **4.** Notre entreprise compte 9 500 personnes dont un tiers à temps partiel. **5.** Notre chiffre d'affaires s'élève à 100 millions d'euros et nous avons dégagé un résultat net de 16 millions d'euros. **6.** Nous détenons 28 % de part de marché dans l'Union européenne et 16 % de part de marché dans le monde.

Exercez-vous en situation

❶ **1** : a – **2** : a – **3** : c – **4** : b – **5** : b.

❷

	En-tête 1	En-tête 2	En-tête 3
Type de renseignements			
Le nom commercial ou la raison sociale	X	X	X
L'adresse commerciale ou le siège social	X	X	X
Le sigle ou le logo	X	X	
Le numéro de téléphone	X	X	X
Le numéro de télécopie		X	
L'adresse électronique	X	X	
Le site Internet	X		
Le numéro d'immatriculation au registre du commerce et des sociétés	X	X	X
Le numéro d'identification de la taxe sur la valeur ajoutée			X
Le numéro de compte bancaire ou postal		X	
La forme juridique	X	X	X
Le montant du capital social	X	X	X
L'activité exercée		X	
Le numéro d'identification du système informatique pour le répertoire des entreprises			X
Le code de l'activité principale exercée			X

❸ **1** : d — **2** : c.

❹ **1** : C — **2** : A — **3** : E — **4** : H — **5** : G.

❺ **Personne 1** : favorable – **Personne 2** : favorable – **Personne 3** : favorable – **Personne 4** : ne se prononce pas – **Personne 5** : défavorable.

Connaissez-vous l'entreprise ?

1 : a – **2** : a – **3** : d – **4** : b – **5** : c – **6** : b.

Unité 3

L'environnement de l'entreprise

Apprenez la langue

❶ **Propositions : 1.** Le hall 1 se trouve dans l'avenue Ernest Renan/entre le boulevard périphérique et le boulevard Victor/à côté du palais des sports. **2.** Le hall 2.2 se situe près de l'entrée du parc/à côté du hall 2.1/dans l'avenue Ernest Renan. **3.** Le hall 4 se trouve entre les halls 3.1 et 8/dans l'avenue Eugène Martel/au cœur du parc des expositions. **4.** Le hall 6 se situe à une extrémité du parc/près de l'avenue de la Porte de la Plaine/en face du hall 8.

❷ **Propositions : 1.** Il est recommandé de mettre des plantes vertes dans les différents espaces du bâtiment. Il est nécessaire que vous mettiez des plantes vertes dans les différents espaces du bâtiment. **2.** Il est important de choisir des couleurs douces pour les murs des bureaux. Vous devez choisir des couleurs douces pour les murs des bureaux. **3.** Il est conseillé de personnaliser les bureaux avec des affiches et des objets. Il faut que vous personnalisiez les bureaux avec des affiches et des objets. **4.** Il faut créer une lumière douce avec un éclairage indirect. Il faut que vous créiez une lumière douce avec un éclairage indirect.

❸ **A.1** : e – **2** : d – **3** : a – **4** : c – **5** : f – **6** : b.

B. Propositions : **1.** Je voudrais obtenir la liste des salles libres pour vendredi, s'il vous plaît. **2.** Pourriez-vous m'indiquer la gare Saint-Lazare ? **3.** Je cherche les bureaux de l'agence immobilière *Ferré*, s'il vous plaît. **4.** Pourriez-vous m'indiquer le service auquel je dois présenter mon devis de rénovation des bureaux ? **5.** Pourriez-vous me procurer des renseignements concernant les réservations de bureaux ? **6.** Je voudrais que vous transmettiez par e-mail le dossier *Imax* aux établissements *Bério*.

Exercez-vous en situation

❶ **1** : a – **2** : b – **3** : c – **4** : a.

❷ **1** : a – **2** : c – **3** : d – **4** : b.

❸ **1** : c – **2** : b – **3** : a – **4** : d – **5** : b.

❹ **1** : b – **2** : b – **3** : b – **4** : c – **5** : c.

Connaissez-vous l'entreprise ?

1 : a – **2** : c – **3** : b – **4** : d – **5** : d – **6** : a.

Unité 4

Rechercher un emploi

Apprenez la langue

❶ **A.** 5. **B. 1.** Le participe passé « remises » s'accorde car le COD « les attestations » (f. pl.) est placé avant le verbe. **2.** Le participe passé « spécialisée » s'accorde avec le pronom sujet (une candidate) parce qu'il est conjugué avec l'auxiliaire être. **3.** Le participe passé « sortie » s'accorde avec le pronom sujet (une candidate) parce qu'il est conjugué avec l'auxiliaire être. **4.** Le participe passé « suivi » ne s'accorde pas car le COD « stage » est placé après le verbe. **5.** Le participe passé « suivis » s'accorde car le COD « stages » (m. pl.) est placé avant le verbe alors que le participe passé « donné » ne s'accorde pas car le COD « possibilité » est placé après le verbe. **6.** Le participe passé « permis » ne s'accorde pas car il n'y a pas de COD placé avant le verbe (« m'» est COI). **7.** Le participe passé « intéressé » s'accorde car le COD « m'» (m. sing.) est placé avant le verbe. **8.** Le participe passé « passées » s'accorde car le COD « les quatre années » (f. pl.) est placé avant le verbe ; le participe passé « occupé » ne s'accorde pas car le COD est placé après le verbe. **9.** Le participe passé « travaillé » ne s'accorde pas car le COD est placé après le verbe ; le participe passé « succédé » ne s'accorde pas car le pronom « se » est COI. **10.** Le participe passé « restée » s'accorde avec le pronom sujet « je » parce qu'il est conjugué avec l'auxiliaire être.

❷ **1** : d – **2** : e – **3** : a – **4** : f – **5** : b – **6** : c.

❸ **1.** Quand il a commencé à travailler chez *Axa*, il ne connaissait pas le monde des assurances. **2.** Quand elle a été nommée au poste de directrice, elle avait 33 ans. **3.** C'est au moment où il n'y croyait plus qu'il a retrouvé un emploi. **4.** Au moment où il a perdu son emploi, il était consultant chez *Buir*.

❹ **Propositions :** **1.** Pour commencer, j'étais au chômage, je n'avais plus d'argent et puis j'ai lu une offre d'emploi, j'y ai répondu et, finalement, j'ai retrouvé du travail. **2.** Finalement, j'ai démissionné de mon poste d'assistante, je ne supportais plus mon patron et je suis partie sans lui dire au revoir. **3.** Pour commencer, j'ai effectué un stage comme hôtesse d'accueil, puis j'ai été remarquée par la direction et, finalement, j'ai été embauchée définitivement à la fin de mon stage. **4.** Pour commencer, je n'avais pas de responsabilités mais j'ai eu l'occasion de prendre des initiatives, j'ai été apprécié(e) et, finalement, j'ai été nommé(e) à un poste de cadre.

Exercez-vous en situation

❶ **Lettre n° 1** : lettre de candidature spontanée. **Lettre n° 2** : entretien défavorable. **Lettre n° 3** : candidature en attente. **Lettre n° 4** : convocation pour un entretien. **Lettre n° 5** : candidature rejetée. **Lettre n° 6** : réponse aux offres d'emploi. **Lettre n° 7** : entretien favorable, lettre d'engagement.

❷

Annonce 1
Société : *Ceram* SA
Référence : EI 025
Type de contrat : CDI
Poste : Chef des achats
Horaire : 35 heures
Description : chargé des négociations et des relations avec les fournisseurs, vous assurez l'approvisionnement des produits en coordination avec les chefs de rayon.
Formation : Bac + 4 / 5
Bonne connaissance de la grande distribution
Ville : Bordeaux
Salaire : à négocier selon expérience

Annonce 2
Société : *Scores*
Référence : MO 054
Type de contrat : CDD
Poste : Comptable
Description : encadrement de quatre personnes, établissement du bilan, suivi et gestion quotidienne de la trésorerie
Formation : Expérience réussie dans une fonction similaire
Localisation : Corse
Rémunération : 42 500 euros + intéressement

❸ **1** : a – **2** : c – **3** : b – **4** : b – **5** : a.

❹ **1** : F – **2** : B – **3** : D – **4** : A – **5** : H.

Connaissez-vous l'entreprise ?

1 : d – **2** : c – **3** : c – **4** : b – **5** : a – **6** : b.

Unité 5

Les relations dans le travail

Apprenez la langue

❶ **A. Candidat réel :** 1 – 4 – 7 – 8. **Mode utilisé :** indicatif. **Candidat idéal :** 2 – 3 – 5 – 6. **Mode utilisé :** subjonctif.
B. Définition b. La définition a correspond au conditionnel et la définition c à l'indicatif.

❷ **1.** J'ai peur que notre directeur n'ait pas compris la raison de notre mécontentement. **2.** C'est formidable que j'aie obtenu mon augmentation de salaire. **3.** Il est indispensable que vous ayez bien pris connaissance du règlement intérieur. **4.** C'est bien possible que sa demande de congé annuel se soit perdue. **5.** Je doute que la direction ait renoncé à la suppression des dix postes. **6.** Je souhaite que vous n'ayez pas oublié d'envoyer votre demande de congé de formation par lettre recommandée.

❸ **A. 1** : d – **2** : b – **3** : a – **4** : e – **5** : c.
B. 1. Le congé maternité a été créé :
– pour permettre à une femme de se reposer avant et après l'accouchement et de s'occuper de son enfant ;
– pour qu'une femme se repose avant et après l'accou-

chement et s'occupe de son enfant.
2. Le congé annuel a été créé :
– pour permettre à un(e) salarié(e) de prendre du repos durant l'année ;
– pour qu'un(e) salarié(e) prenne du repos durant l'année.
3. Le congé parental d'éducation a été créé :
– pour permettre à un(e) salarié(e) de se consacrer à l'éducation de son enfant ;
– pour qu'un(e) salarié(e) se consacre à l'éducation de son enfant.
4. Le congé individuel de formation a été créé :
– pour permettre à un(e) salarié(e) d'acquérir de nouvelles compétences ;
– pour qu'un(e) salarié(e) acquière de nouvelles compétences.
5. Le congé pour convenance personnelle a été créé :
– pour permettre à un(e) salarié(e) de prendre ses distances vis-à-vis de son travail ;
– pour qu'un(e) salarié(e) prenne ses distances vis-à-vis de son travail.

Exercez-vous en situation

❶ **1** : i – **2** : e – **3** : a – **4** : f – **5** : h – **6** : d – **7** : b – 8 : g – **9** : j – **10** : c – **11** : l – **12** : k.

❷ **1** : a – **2** : b – **3** : a.

❸ **1** : a – **2** : c.

❹ **1** : c – **2** : b.

❺ **1** : a – **2** : c – **3** : d.

❻ **1** : H – **2** : A – **3** : E – **4** : B – **5** : D.

Connaissez-vous l'entreprise ?

1 : c – **2** : d – **3** : c – **4** : a – **5** : a – **6** : b.

Unité 6

Prendre contact par téléphone

Apprenez la langue

❶ **1. Propositions :** Depuis combien de temps êtes-vous ici ? Je suis ici depuis deux jours seulement. **2.** Comment et depuis quand avez vous trouvé ce travail ? J'ai répondu à l'annonce sur Internet il y a un mois. **3.** Vous avez été engagée pour combien de temps ? Je suis engagée à l'essai pour/pendant trois mois. **4.** C'est votre premier poste ? Non, ce n'est pas mon premier poste, j'ai déjà travaillé dans une entreprise d'import-export pendant deux ans. **5.** Quand allez-vous signer votre contrat ? Je vais signer officiellement mon contrat dans trois jours. **6.** Cela fait combien de temps que vous êtes là aujourd'hui ? Cela fait une demi-heure que je suis là ce matin et je n'ai eu aucun appel. **7.** Quand prendrez-vous vos premières vacances ? Si tout va bien, je crois que j'aurai mes premières vacances dans six mois. **8.** Pourquoi parlez-vous bien anglais ? Je parle bien anglais parce que j'ai travaillé aux États-Unis pendant deux ans. **9.** Quand êtes-vous revenue en France ? Je suis revenue en France il y a deux mois. **10.** Combien de temps pensez-vous rester en France ? J'espère rester en France pendant quelques années.

❷ **1** : dès – **2** : dès – **3** : depuis – **4** : dans – **5** : depuis – **6** : dès – **7** : dans – **8** : depuis.

❸ **1** : c – **2** : e – **3** : a – **4** : d – **5** : b.

❹ **Propositions :** En étant souriante ; en sachant bien répondre au téléphone ; en étant aimable ; en sachant se présenter au téléphone ; en ayant de l'expérience.

Exercez-vous en situation

❶ **A** : 2 – **B** : 6 – **C** : 4 – **D** : 3 – **E** : 1 – **F** : 5 – **G** : 7.

❷ **1** : a – **2** : c.

❸ **1** : e – **2** : c – **3** : b – **4** : a – **5** : d.

❹ **1** : Filtrer un correspondant – **2** : Transmettre un appel – **3** : Identifier – **4** : Proposer de laisser un message – **5** : Mettre un appel en attente.

❺ **1** : G – **2** : D – **3** : E – **4** : A – **5** : F.

❻ **1** : d – **2** : c – **3** : a – **4** : a – **5** : a.

Connaissez-vous l'entreprise ?

1 : c – **2** : d – **3** : b – **4** : d – **5** : b – **6** : d.

Unité 7

Organiser son emploi du temps

Apprenez la langue

❶ **Propositions :** Quand j'aurai pris mon petit déjeuner à l'hôtel, je partirai faire un circuit en ville avec mes clients. Quand j'aurai fait ce circuit, je ferai une réunion avec les commerciaux au bureau. Quand j'aurai fait la réunion avec les commerciaux, je déjeunerai avec les clients. Quand j'aurai déjeuné avec les clients, je règlerai les affaires urgentes. Quand j'aurai réglé les affaires urgentes, je retournerai directement à l'hôtel.

❷ **1.** Je n'ai pas vu les commerciaux ce jour-là : ils avaient annulé notre rendez-vous au dernier moment. **2.** Il m'a rappelé dès huit heures ce matin : hier, je lui avais laissé un message sur sa boîte vocale. **3.** J'ai cherché le dossier Martineau pendant plus d'une heure mais je ne l'ai pas trouvé : c'est mon directeur qui était parti avec ! **4.** Personne n'a reçu d'invitation ; la secrétaire avait oublié de les envoyer. **5.** Nous n'avons pas assisté à cette réunion : personne ne nous avait prévenus. **6.** Vous avez oublié ce rendez-vous ; vous ne l'aviez pas noté sur votre agenda.

❸ **1. a.** Avant que vous arriviez. **b.** En arrivant. **c.** En partant.
2. a. Avant que vos collègues déjeunent. **b.** Une fois que vos collègues ont déjeuné.
3. a. Dès que votre patron est parti. **b.** Une fois que votre patron est parti. **c.** Avant que votre patron parte.

Exercez-vous en situation

❶ d.

❷ **1** : d – **2** : b.

❸ **1.** Il faut entourer D car la formulation correcte est : « soit bien ». **2.** Il faut entourer C car la formulation correcte est « sont constamment associés ». **3.** Il faut entourer A car la formulation correcte est « parmi lesquels » **4.** Il faut entourer A car la formulation correcte est « qui ».

❹ b.

❺ **1** : oui – **2** : non – **3** : ne se prononce pas – **4** : non – **5** : oui.

❻ **1** : b – **2** : b – **3** : c – **4** : b – **5** : a – **6** : a.

Connaissez-vous l'entreprise ?

1 : c – **2** : a – **3** : b – **4** : d – **5** : d – **6** : a.

Unité 8

Organiser un déplacement

Apprenez la langue

❶ **Propositions : 1.** Si tout le monde était venu au séminaire, on se serait plus amusé. **2.** Si je devais choisir le lieu d'un congrès, je choisirais Nice ou Cannes. **3.** Si le temps était meilleur, nous resterions un jour de plus. **4.**

Si tu avais eu du temps libre, tu aurais pu me rendre visite. **5.** Si on avait eu des disponibilités, on lui aurait donné une chambre avec vue. **6.** Si vous aviez loué un caméscope, vous auriez pu filmer le séminaire. **7.** S'il avait pu se libérer, il n'aurait pas regretté cette formation. **8.** Si on avait su, on aurait prolongé votre séjour.

❷ **1.** Nous serions venus avec nos enfants et ils auraient visité EuroDisney. — Paris **2.** Nos conjoint(e) auraient pu aller en excursion au Mont-Saint-Michel. — Rennes **3.** On se serait rendu en Allemagne le dimanche. — Strasbourg **4.** J'aurais fait du ski l'après-midi. — Grenoble **5.** Nous aurions emmené nos clients dans les sympathiques cafés du quartier du Vieux-Port. — Marseille **6.** Napoléon nous aurait inspiré et nous aurions conquis de nouveaux marchés. — Ajaccio **7.** Tout le monde aurait assisté à une dégustation de champagne après le congrès. — Reims **8.** J'aurais peut-être vu mon actrice préférée sur la Croisette pendant le festival du cinéma. — Cannes **9.** Nos collègues auraient découvert le château avec son célèbre escalier construit par le roi François Ier. — Blois **10.** On aurait bu de l'eau et on aurait eu les idées plus claires. — Évian.

Exercez-vous en situation

❶ **1.** Un carton (ce mot n'appartient pas au lexique relatif aux transports mais à celui des invitations). **2.** Une filiale (ce mot n'appartient pas au lexique relatif à l'hôtellerie mais à celui de l'entreprise). **3.** Un car (ce mot n'appartient pas au lexique relatif aux séminaires mais à celui des transports).

❷ **A.** Lettre B.
B. 1. *L'Oliveraie.* **2.** *Le Sundeck.*
C. 1 : b – **2** : c – **3** : d – **4** : a.

❸ **1** : a – **2** : d – **3** : b – **4** : d – **5** : a.

❹ **1** : b – **2** : a – **3** : c – **4** : b – **5** : c – **6** : a.

❺ **1** : b – **2** : a – **3** : c – **4** : c.

Connaissez-vous l'entreprise ?

1 : c – **2** : a – **3** : b – **4** : a – **5** : b – **6** : d.

Unité 9

Marché et résultats de l'entreprise

Apprenez la langue

❶ **A. 1.** Le chiffre d'affaires France du groupe *Prisme* représente un peu plus d'un tiers du chiffre d'affaires total du groupe. **2.** La majorité des magasins du groupe *Prisme* sont situés en Europe. **3.** Le résultat d'exploitation du groupe *Prisme* a augmenté de moitié. **4.** L'Argentine représente le quart du nombre total des magasins du groupe *Prisme* sur le continent américain. **5.** Le nombre des magasins en Europe représente les trois quarts du nombre total des magasins du groupe *Prisme*.

B. Phrases 2 et 5.

C. 1. L'Italie est le pays qui a le plus petit nombre de magasins du groupe *Prisme* en Europe./L'Italie est le pays qui a le moins de magasins du groupe *Prisme* en Europe. **2.** Le Brésil est le pays qui a le plus grand nombre de magasins du groupe *Prisme* sur le continent américain. **3.** Le Mexique est le pays qui a le plus petit nombre de magasins du groupe *Prisme* sur le continent américain./Le Mexique est le pays qui a le moins de magasins du groupe *Prisme* sur le continent américain. **4.** La Chine est le pays qui a le plus grand nombre de magasins du groupe *Prisme* en Asie. **5.** Le Japon est le pays qui a le plus petit nombre de magasins du groupe *Prisme* en Asie./Le Japon est le pays qui a le moins de magasins du groupe *Prisme* en Asie.

❷ **1** : b – **2** : c – **3** : a – **4** : a – **5** : b.

Exercez-vous en situation

❶ **Résultats et chiffres** : a – b – c – f.
Études de marché : d – e – g – h.

❷ **Premier mot** : cours. **Deuxième mot** : bilan. **Troisième mot** : marché.

❸ **Sportex** : commentaire n° 8 – **Lachaux** : commentaire n° 2 – **Fargéo** : commentaire n° 5 – **Technofax** : commentaire n° 4.

❹ **1** : c – **2** : e – **3** : b – **4** : a.

❺

Chiffre d'affaires consolidé		**400,52**
Articles de sports d'hiver		**310,42**
dont :	– Produits ski	290,22
	– Textile	20,20
Autres activités		**90**
dont :	– Golf	56,60
	– Tennis	33,40

Le premier semestre voit une progression du chiffre d'affaires de 25,7 %. Le résultat net de 24,2 millions d'euros est en très nette hausse.

❻ **1** : C – **2** : E – **3** : A – **4** : F – **5** : D.

Connaissez-vous l'entreprise ?

1 : b – **2** : a – **3** : a – **4** : b – **5** : b – **6** : b.

Unité 10

Fabrication et mode d'emploi

Apprenez la langue

❶ **Propositions : 1.** On utilise des silos pour stocker la farine/afin que la farine soit stockée/afin de stocker la farine. **2.** Pendant qu'un silo se vide, nous remplissons le deuxième, ce qui permet de laisser un temps suffisant de repos pour la farine/afin de laisser un temps suffisant de repos pour la farine/afin qu'un temps de repos suffisant soit laissé à la farine. **3.** Le pétrissage se fait dans des pétrins pour que la pâte garde sa souplesse/pour garder à la pâte sa souplesse/de manière à garder à la pâte sa souplesse. **4.** On utilise une pelle à manche de manière à disposer chaque pizza au centre du four/afin de disposer chaque pizza au centre du four/pour que chaque pizza soit disposée au centre du four. **5.** Le four comporte un minuteur, ce qui permet d'assurer une cuisson optimale /pour assurer une cuisson optimale/afin qu'une cuisson optimale soit assurée. **6.** Après surgélation, on met les pizzas dans des étuis en carton pour respecter les normes d'hygiène/afin de respecter les normes d'hygiène /pour que les normes d'hygiène soient respectées.

❷ **A. 1** : e – **2** : d – **3** : f – **4** : a – **5** : b – **6** : c.
B. Proposition : On commence par la récolte des pommes. D'abord, on ramasse les pommes puis on les broie. On poursuit par le cuvage qui consiste à exposer à l'air le jus sorti du broyeur. Dès que la pulpe du fruit est pressée, on place le cidre dans des fûts permettant la sortie du CO_2 tout en empêchant l'entrée de l'air. Enfin, on verse le cidre obtenu dans des bouteilles.

Exercez-vous en situation

❶ **1** : b – **2** : a – **3** : c – **4** : d – **5** : b.

❷ **1** : a – **2** : a – **3** : b.

❸ **1** : b – **2** : e – **3** : d – **4** : a – **5** : c.

❹ **1** : c, e, f – **2** : c, d – **3** : b, c, e – **4** : a – **5** : b – **6** : a, c – **7** : c, d, g – **8** : a, c, e – **9** : a, c, e.

❺ **1** : H – **2** : A – **3** : C – **4** : G – **5** : B.

❻ **1** : C – **2** : A – **3** : D – **4** : F – **5** : H.

Connaissez-vous l'entreprise ?

1 : c – **2** : b – **3** : d – **4** : b – **5** : a – **6** : b.

Unité 11

Passer commande

Apprenez la langue

❶ **A. Réclamations** : 2, 4, 5, 6.
Offres commerciales : 1, 3.
B. 1 : Grâce à – **2** : En effet – **3** : Étant donné – **4** : à cause de – **5** : Puisque – **6** : car.

❷ **Propositions** : **1.** Étant donné la qualité exceptionnelle de ce champagne, nous le réservons à nos meilleurs clients. **2.** La livraison a été effectuée avec retard à cause d'une erreur dans la transcription de l'adresse. **3.** Étant donné l'approche des fêtes de Noël, les commandes vont donc se multiplier et les délais de livraison augmenter. **4.** Grâce à un geste commercial de notre part, vous avez pu obtenir une réduction de 5 %. **5.** Nous pourrons toucher davantage de clients grâce à notre offre promotionnelle. **6.** Étant donnés nos délais de livraison très courts, vous recevrez la marchandise dès lundi.

❸ **1** : c – **2** : e – **3** : d – **4** : b – **5** : a.

Exercez-vous en situation

❶ **A. A** : 4 – **B** : 1 – **C** : 2 – **D** : 5 – **E** : 7 – **F** : 6 – **G** : 3.
B. 1 : A – **2** : G – **3** : D – **4** : F – **5** : C – 6 : B – **7** : E.

❷ **1** : d – **2** : d – **3** : b – **4** : a.

❸ **1** : d – **2** : c – **3** : b – **4** : a – **5** : e.

❹ **1** : c – **2** : a – **3** : b – **4** : d – **5** : a – **6** : d – **7** : a – **8** : a.

❺ **1** : c – **2** : d – **3** : b – **4** : b.

Connaissez-vous l'entreprise ?

1 : a – **2** : c – **3** : a – **4** : c – **5** : b – **6** : b.

Unité 12

Promotion et vente

Apprenez la langue

❶ **Propositions** : **1.** en effet/parce que/car. **2.** ainsi/par conséquent. **3.** en effet/c'est pourquoi. **4.** mais/en revanche/par contre. **5.** mais. **6.** Parce que. **7.** c'est pourquoi/c'est la raison pour laquelle.

❷ **1.** Il faut que vous sachiez précisément pourquoi vous avez besoin d'un téléphone mobile. Il faut savoir précisément pourquoi vous avez besoin d'un téléphone mobile. Il est essentiel que vous sachiez précisément pourquoi vous avez besoin d'un téléphone mobile. Il est essentiel de savoir précisément pourquoi vous avez besoin d'un téléphone mobile. **2.** Il faut faire jouer la concurrence. Il faut que vous fassiez jouer la concurrence. Il est essentiel de faire jouer la concurrence. Il est essentiel que vous fassiez jouer la concurrence. **3.** Il faut que vous preniez connaissance des clauses de résiliation du contrat. Il faut prendre connaissance des clauses de résiliation du contrat. Il est essentiel que vous preniez connaissance des clauses de résiliation du contrat. Il est essentiel de prendre connaissance des clauses de résiliation du contrat. **4.** Il est essentiel de privilégier les grands distributeurs. Il est essentiel que vous privilégiez les grands distributeurs. Il faut privilégier les grands distributeurs. Il faut que vous privilégiez les grands distributeurs. **5.** Il faut que vous vous renseigniez sur les garanties et le service après-vente. Il faut vous renseigner sur les garanties et le service après-vente. Il est essentiel de vous renseigner sur les garanties et le service après-vente. Il est essentiel que vous vous renseigniez sur les garanties et le service après-vente. **6.** Il faut demander les tarifs détaillés et leurs conditions de modification. Il faut que vous demandiez les tarifs détaillés et leurs conditions de modification. Il est essentiel que vous demandiez les tarifs détaillés et leurs conditions de modification. Il est essentiel de demander les tarifs détaillés et leurs conditions de modification. **7.** Il est essentiel que vous lisiez le contrat très attentivement. Il est essentiel de lire le contrat très attentivement. Il faut que vous lisiez le contrat très attentivement. Il faut lire le contrat très attentivement. **8.** Après signature, il faut bien vérifier toutes vos factures. Après signature, il faut que vous vérifiiez bien toutes vos factures. Après signature, il est essentiel de bien vérifier toutes vos factures. Après signature, il est essentiel que vous vérifiiez bien toutes vos factures.

Exercez-vous en situation

❶ **Prix** : le tarif, un bon de réduction, une remise, TTC. **Produit** : une gamme, une référence, une caisse, une marque, le haut de gamme, une ligne, un conditionnement. **Place** : l'enseigne, un rayon, un hypermarché, une gondole, une supérette, un commerce en franchise. **Publicité et promotion** : un conditionnement, une affiche, une dégustation, un encart, la PLV, un publipostage.

❷ **1** : d – **2** : e – **3** : f – **4** : b – **5** : c – **6** : a – **7** : g.

❸ **A. 1** : b – **2** : a. **B. 1** : c – **2** : d.

❹ **1** : a – **2** : b – **3** : b – **4** : a – **5** : b.

❺ **1** : H – **2** : D – **3** : B – **4** : C – **5** : A.

Connaissez-vous l'entreprise ?

1 : c – **2** : a – **3** : d – **4** : d – **5** : a – **6** : d.

Unité 13

À propos de règlements

Apprenez la langue

❶ À supposer que vous ayez affaire à un mauvais payeur, relancez-le d'abord poliment par téléphone. Si jamais vous ne recevez pas de réponse, faites une deuxième relance plus « musclée ». Dans le cas où votre démarche resterait sans effet, envoyez-lui une lettre de relance polie. Si jamais votre créancier ne réagit toujours pas, envoyez alors une demande écrite ferme : c'est l'heure de la mise en demeure et si votre client ne se décide pas à payer, vous pouvez faire appel à un huissier de justice.

❷ **Propositions** : **1.** Si jamais votre chéquier ou votre carte sont utilisés frauduleusement avant opposition, contactez votre agence bancaire. Dans le cas où votre chéquier ou votre carte seraient utilisés frauduleusement avant opposition, contactez votre agence bancaire. **2.** Dans le cas où un objet payé avec votre carte serait volé ou détérioré, contactez votre agence bancaire. Si jamais un objet payé avec votre carte est volé ou détérioré, contactez votre agence bancaire. **3.** Si jamais vous êtes malade ou blessé en France ou à l'étranger, contactez votre service assistance. Dans le cas où vous seriez malade ou blessé en France ou à l'étranger, contactez votre service assistance. **4.** Dans le cas où vous auriez des questions d'ordre juridique, administratif ou social relevant de la vie privée ou salariée, contactez votre service information. Si jamais vous avez des questions d'ordre juridique, administratif ou social relevant de la vie privée ou salariée, contactez votre service information.

❸ **1** : C – **2** : A – **3** : E – **4** : D – **5** : B.

Exercez-vous en situation

❶ **Opérations**

	Débit (-)	Crédit (+)
Solde précédent		10 000 €
Virement des salaires	18 000 €	
Prélèvement facture *France Telecom*	450 €	
Encaissement chèques		9 950 €
Paiement traite fournisseur	400 €	
Retrait d'espèces	300 €	
Solde		**800 €**

Le solde du compte est créditeur.

❷ **1** : F – **2** : D – **3** : B – **4** : C – **5** : E – **6** : A.

❸ **A. 1** : e – **2** : c – **3** : b – **4** : d – **5** : a.
B. c.

❹ **1** : c – **2** : e – **3** : a – **4** : d.

❺ **1** : b – **2** : a – **3** : a.

Connaissez-vous l'entreprise ?

1 : c – **2** : b – **3** : d – **4** : a – **5** : c – **6** : d.

Unité 14

Importer et exporter

Apprenez la langue

❶ **1** : En dépit d'/Malgré – **2** : alors que/tandis que – **3** : mais/toutefois/néanmoins/cependant/pourtant – **4** : Bien qu' – **5** : Quoique/Bien que – **6** : Quels que soient.

❷ **A.**

Exprimer une évolution	
Quantitative	Qualitative
1 – 5 – 9	3 – 7
4 – 13 – 15	2 – 10 – 12

Exprimer un non-changement	
Quantitatif	Qualitatif
6 – 14	8

B. Entreprise *Velix* :
Il y a une hausse du volume des ventes sur cinq ans. Le volume des ventes sur cinq ans est en progression. Le volume des ventes augmente sur cinq ans. Le volume des ventes sur cinq ans va en augmentant.
Entreprise *Matrix* :
Il y a une stagnation du chiffre d'affaires sur cinq ans. Le chiffre d'affaires sur cinq ans est en stagnation. Le chiffre d'affaires se maintient sur cinq ans.
Entreprise *Copix* :
Il y a une diminution de la part de marché de l'entreprise *Copix* sur cinq ans. La part de marché de l'entreprise *Copix* sur cinq ans est en baisse. La part de marché de l'entreprise *Copix* sur cinq ans régresse. La part de marché de l'entreprise *Copix* sur cinq ans va en diminuant.

Exercez-vous en situation

❶ **1** : b – **2** : a – **3** : b – **4** : b – **5** : c – **6** : a.

❷ **1** : D – **2** : C – **3** : B – **4** : A.

❸ **1** : C – **2** : E – **3** : B – **4** : A – **5** : D.

❹ **1** : B – **5** : E – **6** : D – **7** : A – **8** : C

❺ **1** : C – **2** : D – **3** : A – **4** : E – **5** : G.

Connaissez-vous l'entreprise ?

1 : d – **2** : c – **3** : a – **4** : b – **5** : d – **6** : a.

Unité 15

Des manifestations commerciales

Apprenez la langue

❶ **1.** À force d'être présents dans tous les grands salons professionnels, notre chiffre d'affaires a doublé en trois ans. **2.** Nos ventes à l'exportation ont fortement progressé à force de multiplier les contacts sur notre stand avec la clientèle étrangère à l'occasion des manifestations commerciales. **3.** À force de voir et de comparer les différents modèles concurrents exposés, nous avons pu arrêter notre choix sur une marque. **4.** Nous parvenons à lier des contacts avec des acheteurs potentiels à force de discuter avec les gens. **5.** À force de persuasion, nos commerciaux ont réalisé un formidable travail lors du dernier Salon. **6.** Nous sommes au courant de toutes les innovations à force de fréquenter les salons professionnels. **7.** À force de volonté et de travail, *Exposium* est devenu l'un des premiers organisateurs de salons professionnels.

❷ **A. 1** : G – **2** : B – **3** : F – **4** : I – **5** : C – **6** : E – **7** : D – **8** : A – **9** : H.
B. 1 : ce qui a entraîné – **2** : c'est pourquoi – **3** : C'est la raison pour laquelle – **4** : alors – **5** : donc – **6** : tellement de… que – **7** : Bien que – **8** : si bien que – **9** : d'où.
C. 1. Plus de soixante-quinze auteurs étaient présents pour dédicacer leur ouvrage, c'est pourquoi il y a eu de longues files d'attente. **2.** Les voyages sont à la mode et, avec les 35 heures, les Français ont désormais plus de temps libre ; c'est la raison pour laquelle ce Salon attire un nombre de plus en plus important de visiteurs. **3.** Chaque année y sont exposées les œuvres des artistes contemporains les plus talentueux. En conséquence, les plus grands marchands et les amateurs éclairés se côtoient. **4.** Ce Salon offre une large sélection allant des crus les plus modestes aux crus les plus prestigieux, donc, pourquoi ne pas en profiter ? **5.** Suivre la mode est une chose importante dans notre société, ainsi on ne s'étonnera pas du succès grandissant remporté par ce Salon. **6.** Les méthodes d'apprentissage et les écoles sont nombreuses ; c'est pourquoi il est difficile de faire son choix. **7.** Alors que le secteur est en difficulté, cet événement suscite toujours l'enthousiasme de milliers de visiteurs, preuve que nous chérissons toujours autant nos campagnes. **8.** Sur place, la dégustation est gratuite. Par conséquent, vous risquez de ne plus avoir envie d'aller chez le pâtissier après la visite. **9.** De plus en plus de particuliers rêvent de posséder un bateau de plaisance, c'est pourquoi le taux de fréquentation est de plus en plus élevé à ce Salon.

Exercez-vous en situation

❶ **A. 1** : d – **2** : e – **3** : l – **4** : a – **5** : m – **6** : c – **7** : h – **8** : j – **9** : b – **10** : i – **11** : f – **12** : k – **13** : g.
B. Emplacement : 1 d – 2 e – 5 m.
Produits : 4 a – 12 k.
Personnel : 9 b – 13 g.
Logistique : 6 c – 7 h.
Communication : 3 l – 8 j – 10 i – 11 f.

❷ c.

❸ **1** : a – **2** : c – **3** : a – **4** : c – **5** : a – **6** : c – **7** : a.

❹ d.

❺ **1** : a – **2** : d – **3** : c – **4** : d.

❻ **1** : E – **2** : A – **3** : B – **4** : D – **5** : F.

Connaissez-vous l'entreprise ?

1 : d – **2** : d – **3** : c – **4** : b – **5** : c – **6** : a.

Imprimé en Italie par «La Tipografica Varese S.p.A.»
Dépôt légal éditeur n° 17977-01/2002 - Collection n° 27 - Edition 01
15/5175/3